M

O ONGL ARALL

O Ongl Arall

Martyn Geraint

Gomer

Argraffwyd yn 2007 gan Wasg Gomer,
Llandysul, Ceredigion SA44 4JL
www.gomer.co.uk

ISBN 978 1 84323 802 7

ⓗ testun: Martyn Geraint, 2007 ©
ⓗ llun y clawr: Steve Atkins / Alamy, 2007 ©

Dymuna'r cyhoeddwyr gydnabod cymorth
Adrannau Cyngor Llyfrau Cymru.

Argraffwyd a rhwymwyd yng Nghymru gan
Wasg Gomer, Llandysul, Ceredigion SA44 4JL

1

Prawf – Pa Brawf?

'Llongyfarchiadau Tom – 97%.'

'Be? Naw deg saith y cant?! Be ges i'n anghywir 'te?'

'O! Mae hwn yn un o'r rheina sydd eisie cant y cant, alla i weld!' medde Alan gyda winc. Alan oedd yr hyfforddwr. Roedd e wedi arfer cael pawb yn pasio'r arholiad gyda marciau o dros wyth deg, ond roedd un neu ddau ym mhob grŵp eisiau'r marc perffaith o hyd!

Yr arholiad oedd diwedd y cwrs dyfarnu pêl-droed – diwedd wyth wythnos o wrando a dysgu ffeithiau, gwylio fideos o sefyllfaoedd ar y cae ac, yn fwy na dim, diwedd y gwaith papur! Doedd dim ar ôl nawr i Tom ond prynu'r cit a bant â fe!

Ond dechrau'r haf oedd hynny, a'r cyfnod hyfforddi'n teimlo'n bell, bell yn ôl. Erbyn hyn, roedd y tymor pêl-droed newydd ar ei anterth ac roedd Tom wedi dysgu fod angen tipyn mwy na chit arno fe! Roedd angen o leiaf ddau git i ddechre, heb sôn am chwiban, oriawr reffarî, cardiau coch a melyn, fflagiau, cortyn i ddal ei sanau i fyny, pensiliau byr, darn deg ceiniog ar gyfer penderfynu ar ddechrau'r gêm ac, wrth gwrs, y llyfr bach! A buan y sylweddolodd e nad oedd y gwaith papur wedi gorffen o bell ffordd chwaith!

Roedd pawb wedi dweud wrtho mai ei gêm gyntaf wedi derbyn ei gymhwyster fel dyfarnwr fyddai ei gêm fwyaf anodd. Ac yn wir, roedd ei gêm gynta'n brofiad! Ddechrau mis Medi, parc Pontypridd, tîm Pontypridd dan 16 yn erbyn Pontyclun dan 16. Wrth wylio'r ddau dîm yn rhedeg allan i'r cae i wynebu ei gilydd roedd Tom yn teimlo mor nerfus â phan ganodd e unawd yn y gwasanaeth diolchgarwch o flaen yr ysgol gyfan pan oedd e'n wyth oed! Doedd yr wyth mlynedd hir ers hynny ddim wedi bod yn ddigon i ladd y pili-palod yn ei stumog, na'r ysfa i ymweld â'r tŷ bach ryw hanner dwsin o weithiau cyn y digwyddiad mawr! Rywsut, doedd dysgu ffeithiau am faint y cae, pwysau'r bêl a'r defnyddiau posib ar gyfer y pyst ddim yn teimlo fel paratoad ar gyfer hyn! Dau ddeg dau o fechgyn cŵl, oedd ond flwyddyn yn iau nag e – eu gwallt yn llawn *gel*, clustdlysau gan rai ac agwedd gan bob un, bron, heb sôn am agwedd eu rhieni!

O'r gic gyntaf, fedrai diwedd y gêm ddim dod yn ddigon sydyn i Tom. Efallai y dylai fod wedi dangos cerdyn melyn i'r boi 'na oedd yn ei gwestiynu e o hyd neu i'r crwt arall 'na wnaeth ddeifio yn y cwrt cosbi – ond roedd e'n fwy na hapus pan glywodd e sŵn y 'bîp, bîp, bîp' ar ei oriawr fel arwydd i chwythu'r chwiban ola. Dwy gôl yr un, ac yntau heb ddangos ei gerdyn cyntaf!

Ond roedd hi nawr yn ganol mis Rhagfyr a Tom yn teimlo dipyn yn fwy hyderus yn mynd yn ôl i barc Pontypridd, wrth i fechgyn y tîm cartref wynebu bechgyn Pontyclun am yr ail waith yn y tymor.

Rywsut roedd y bechgyn hefyd yn medru synhwyro'r hyder yma, felly aeth y gêm yn ei blaen yn weddol ddi-drafferth. Hynny yw, tan y pum munud ola! Wedi gêm weddol dawel, dyma asgellwr Pontypridd yn rhuthro fel mellten i lawr yr asgell dde, heibio'r amddiffynnwr, cyn croesi'r bêl i mewn i'r bocs o flaen y gôl. Yna, heb fod neb o fewn dau fetr iddo, dyma'r streicar yn syrthio'n glep yn y bocs.

'Penalti!' meddai pawb.

Rhedodd Tom ar unwaith at y truan ar lawr cyn dechrau ymbalfalu yn ei boced.

'Enw?' gofynnodd yn awdurdodol.

'Michael Reed,' atebodd yntau wrth godi ar ei draed.

'Rhif?' Nododd Tom y rhif naw yn ei lyfr bach, cyn tynnu cerdyn o boced dde ei grys – cerdyn melyn – a'i godi yn uchel i'r awyr, gan feddwl faint mwy o ffurflenni fyddai angen eu llenwi heno.

'Am ddeifio mae honna.'

'Beth?'

'Deifio – *simulation*!'

'Ond wnes i ddim, Reff!'

'Hy! Doedd neb o fewn cyrraedd i ti gw'boi.'

'Ond wnes i ddim deifio!' protestiodd y streicar.

''Drych – wnes di'r un peth pan o'n i 'ma ym mis Medi, ond dwi 'di dysgu eitha tipyn ers hynny – yn cynnwys dod i 'nabod deif amlwg.'

'Ond dim deifio wnes i, Reff.'

'Beth ddigwyddodd 'te? *Audition* ar gyfer *Dancing on Ice*?!'

'Na! Y cyfan dw i'n wybod yw fod rhywbeth rhyfedd yn digwydd i mi weithiau pan wy'n barod i saethu o flaen y gôl yma. Mae fel tase rhywbeth yn gafael yn 'y nhroed i!'

'Ie, ie! 'Na'r esgus gorau 'to! Nawr dere, pum munud sy' tan ddiwedd y gêm, ac ych chi ar ei hôl hi.'

Ond, er gwaetha'r anogaeth, colli fu hanes Pontypridd y diwrnod hwnnw.

Yn ôl yn y stafell newid, cafodd Tom gawod a newid. Talwyd iddo'i gyflog anrhydeddus o ddeuddeg punt, cyn iddo ddechrau ei ffordd ar draws y cae pêl-droed i gyfeiriad gât y parc, lle'r oedd ei dad yn disgwyl amdano'n ei gar. Wrth groesi'r cae, fedrai Tom ddim peidio ag ail-fyw rhai o ddigwyddiadau'r prynhawn. Daeth gwên chwareus i'w wyneb, yn enwedig wrth gofio esgus Michael Reed. 'Rhywbeth yn gafael yn ei droed', wir! Be nesa?

Yna'n sydyn, roedd Tom ar wastad ei gefn ar lawr. Trodd o'i gwmpas. Dim byd. A doedd neb i'w weld chwaith. Doedd neb o gwbwl yn agos ato! Ond dyna lle'r oedd e, yn fflat ar ei gefn yn y cwrt cosbi o flaen y gôl lle'r aeth Michael Reed i lawr.

'Tybed . . ?' holodd ei hun wrth godi ar ei draed a rhwbio'r baw oddi ar ei ddillad yn araf.

2

Y Cawr tu ôl i'r Gôl

Cafodd Tom ei ddenu yn ôl i barc Pontypridd sawl tro ar ôl hynny – er mwyn dyfarnu, ie, ac er mwyn trio darganfod beth ddigwyddodd iddo fe yn y cwrt cosbi 'rhyfedd'. Roedd y cwrt cosbi wrth ochr yr afon yn iawn, y llall oedd yn achosi penbleth.

Doedd dim byd yn edrych mor wahanol â hynny am y darn mawr hirsgwar o dir oedd yn cynnwys dwy linell 18 llath (neu 16.5 metr wrth gwrs!) i ffwrdd wrth edrych arno o gysgod y ddau bostyn gôl. Na'r hirsgwar arall chwaith, oedd 6 llath (5.5 metr) i ffwrdd, na'r smotyn gwyn ar gyfer y ciciau cosb, a'r siâp 'D' tu allan i'r bocs .

Wrth fynd yn ôl i'r parc weithiau, byddai Tom yn cofio geiriau Alan, hyfforddwr y reffarîs: 'Pan ych chi'n dyfarnu, ych chi'n gweld pethau o ongl wahanol i bawb arall. Ond dim ond eich ongl chi sy'n cyfri. Sdim ots be' mae pawb arall 'i weld – eich llygaid chi sy'n bwysig. Weithiau byddwch chi yn y lle anghywir, weithiau byddwch chi'n methu gweld trosedd sy'n amlwg i bawb arall – felly triwch symud i lefydd gwahanol ar y cae, triwch weld pethau o ongl arall. Mae'n rhaid ichi gwestiynu'ch hun o hyd – ydw i yn y lle cywir?'

Felly bob tro roedd e yn y parc ceisiai Tom ddarganfod ongl newydd er mwyn astudio'r bocs –

weithiau o bell, weithiau'n agos, weithiau o ganol y cae, weithiau o'r tu ôl i'r gôl, weithiau o'r ochr chwith neu'r tu hwnt iddo.

Unwaith dringodd y goeden oedd yn tyfu fel cawr bygythiol y tu ôl i'r gôl. Dyna pryd y teimlodd fod 'na rywbeth od i'w weld yn y bocs! Fedrai ddim rhoi ei fys arno, ond roedd rhywbeth o'i le . . .

Penderfynodd nad oedd ond un peth amdani. Byddai'n rhaid iddo ddod 'nôl yng nghanol y nos.

3

Noson Glir yn y Parc

Doedd neb i fod yn y parc ar ôl iddi dywyllu. Roedd pob gât ar glo a phopeth yn hollol ddu. Er gwaetha hynny, roedd Tom yn benderfynol. Roedd yn rhaid iddo fynd i mewn. Ac yntau bron yn 17 erbyn hyn, roedd yn fachgen eitha tal – bron yn chwe troedfedd! Felly, doedd dringo dros set o fariau metal ddim yn rhy anodd o gwbl.

Wedi llwyddo i lanio'n ddiogel ar y borfa yr ochr draw, aeth i guddio y tu ôl i un o'r coed niferus oedd wrth y fynedfa er mwyn sicrhau nad oedd neb wedi'i weld yn gwneud naid uchel i mewn i'r parc am 11.42 o'r gloch y nos! Ond, yn naturiol, doedd dim llawer o bobl o gwmpas, ac o'r rheiny, doedd dim llawer o ddiddordeb ganddyn nhw mewn parc tywyll oedd wedi bod ar glo ers oriau. Er mawr fraw i Tom, fe basiodd un car a golau glas ar ei ben, ond drwy lwc, un o gerbydau'r frigâd dân oedd hwnnw yn hytrach na'r heddlu. Beth bynnag am hynny, roedd Tom yn hollol bendant na fyddai hyd yn oed Sam Tân yn ei rwystro heno!

Rhuthrodd yn ei flaen o'r brif fynedfa ar hyd un o'r rhodfeydd o goed oedd yn arwain y tyrfaoedd ar ddiwrnod braf o haf tuag at y pwll nofio ym mhen draw'r parc. Teimlai Tom fel bachgen bach eto yn rhedeg o un goeden i'r llall. Ond yn lle cuddio rhag

11

Mam, neu geisio osgoi bwledi dychmygol ei frawd mawr, roedd e nawr yn ceisio cuddio rhag pawb ac yn ceisio osgoi unrhyw oleuadau go iawn a oedd yn dod o gyfeiriad y dref. Ac i beth? I ddringo coeden oedd yn hongian dros gae pêl-droed er mwyn trio gweld . . . rhywbeth rhyfedd. Ond ar y pryd doedd y fath resymeg synhwyrol ddim yn agos at gyrraedd ei ymennydd cynhyrfus. Roedd adrenalin yn drwch drwy ei wythiennau ac yntau'n ysu am gael mentro.

Ymlaen ag e. Heibio'r cwrs golff, yna ar hyd y llwybr oedd yn troi i'r chwith gyda'r ddau bwll nofio ar y dde – yr un crwn yr oedd pawb yn ei weld bob haf, a'r llall, yr un oedd wedi cau ers blynyddoedd ac yn pydru y tu ôl i wal fawr, lwyd – cyn rhedeg am y pafiliwn criced. Roedd hwnnw'n wynebu'r cae criced, wrth gwrs, ond yn y gaeaf roedd rhywfaint o'r tir yn cael ei 'ddwyn' gan y tîm pêl-droed ar gyfer y cae pêl-droed oedd yn ganolbwynt i sylw Tom.

Cerddodd yn betrusgar ar hyd y clawdd a oedd yn amgylchynu'r cae criced. Roedd Tom yn teimlo'n reit nerfus erbyn hyn, ond fedrai ddim penderfynu ai ofni beth i'w ddisgwyl yr oedd e, ofni cael ei ddal neu ofni beth oedd e'n mynd i wneud os OEDD rhywbeth rhyfedd yno.

O'r diwedd, cyrhaeddodd y cae pêl-droed. Er bod y tymor pêl-droed drosodd ers mis a mwy, roedd marciau'r cae yn dal i'w gweld yn eitha clir yng ngolau'r lleuad lawn. Taflodd gip cyflym dros lecyn o'r cae, ond doedd e ddim eisie cael ei weld allan yn y tir agored chwaith! Yn ôl â fe ar frys felly i gysgod y

Cawr o goeden. Yn araf a gofalus dechreuodd ddringo'r canghennau. Er y cynnwrf a'r cyffro, y peth diwethaf yr oedd e eisiau oedd gorfod ffonio 999 ar ei ffôn symudol (ar gyfer ambiwlans nid Sam Tân, wrth gwrs) a chael ei ddarganfod yn y parc yn chwarae!

Dechreuodd bendroni ynglŷn â'r sefyllfa cyn sibrwd yn bwyllog: 'Mi welaf i gyda'm llygaid bach i, rywbeth yn dechrau gyda . . . RHYFEDD!'

4

Tân Gwyllt

Wedi cyrraedd cangen eitha cryf o'r *Cawr*, llithrodd
Tom ar ei hyd er mwyn gweld y bocs yn well. Er bod
y dail ar flaen canghennau'r *Cawr* yn bert iawn, roedden
nhw hefyd yn blocio'i olwg. Chwarddodd wrtho'i hun
gan feddwl eu bod nhw'n gwneud gwell job o flocio
nag ambell i amddiffynnwr welodd e yn ystod y tymor!

Siomedig oedd yr olygfa o ganol y goeden. Erbyn
hynny, roedd y lleuad mor llachar nes ei bod fel golau
ddydd, bron. Arhosodd am rai munudau yn chwilio,
yn syllu ac yn edrych am rywbeth rhyfedd, ond doedd
dim i'w weld. A'r drafferth oedd, doedd e ddim yn
HOLLOL siŵr beth welodd e'r tro diwethaf chwaith.
Y cyfan a wyddai oedd ei fod fel rhyw fath o . . .
rywbeth!

Roedd Tom ar fin llithro 'nôl ar hyd y gangen pan
sylwodd ar rywbeth arall allan o gornel ei lygad.
Edrychodd eto. Yno, ym mhen draw'r cae, tybiodd
iddo weld rhywbeth yn symud. Craffodd, cyn gollwng
ebychiad o ryddhad wrth sylweddoli mai cysgod
cwmwl yn croesi'r cae oedd e. Tan hynny, dyna'r peth
rhyfedda yr oedd wedi ei weld drwy'r nos, achos
doedd dim sôn wedi bod am gymylau yn yr awyr ers
iddo ddechrau ar ei daith gyfrinachol y noson honno.
Yna sylwodd ar gysgod arall, ac un arall yn dechrau
cylchdroi o gwmpas y cae. Ond doedd dim gobaith

iddo weld yn glir beth oedd yn digwydd yn yr awyr uwchben oherwydd yr holl ddail oedd yn tyfu ar y canghennau o'i gwmpas.

Estynnodd ei wddf yn hir drwy'r gwyrddni i weld mwy o gymylau. Rhai yn ffurfio llinell eitha syth fel '1' neu 'I' neu 'l' o flaen y cymylau oedd yn dal i gylchdroi ac oedd yn edrych fel '0' neu 'O'. Yn ei nerfusrwydd meddyliodd Tom mai'r rhif '10' oedd e'n 'i weld – ond yna daeth rhagor. Mwy o gymylau yn ffurfio llythyren, ie llythyren – 'M'.

10 M, IOM, 1 OM – beth oedd yn digwydd? Beth oedd y pwynt? Beth oedd y 'neges'?! 10 metr neu'r Isle o' Man neu 1??

Ond yna, fel fflach, daeth y neges yn glir. Ar amrantiad, saethodd rhywbeth mor llachar a chyflym â seren wib ar draws y cae ac i mewn i'r ddaear gan ryddhau tanllwyth o fwg i'r awyr. Digwyddodd yr holl beth o fewn eiliad ac eto yn hollol ddistaw. Bu'n rhaid disgwyl i'r mwg glirio, yna gwelwyd y neges yn ei chyfanrwydd. Roedd y seren wib, neu beth bynnag oedd wedi cyrraedd, wedi creu craith syth, losgedig yn y ddaear uwchben yr '1/I' a oedd nawr, heb os nac oni bai, yn ffurfio llythyren . . . T.

Yna, ar ganol y cae pêl-droed/criced, roedd y llythrennau T . . . O . . . M.

Roedd llygaid Tom bron â chwympo i'r ddaear wrth weld y neges – ond doedd y syrpreis heb orffen eto. Dechreuodd y llythrennau rhyfedd symud. Daeth y cymylau bach at ei gilydd i gyd a chreu un cwlwm mawr cyn dechrau symud i ffwrdd.

'Waw!' meddai Tom yn isel. 'Beth yn y byd oedd hwnna?'

Heb yn wybod i Tom roedd y cwmwl mawr yn symud tuag at y lleuad. Ac wrth iddo drio gwneud synnwyr o'r hyn yr oedd e wedi ei weld yn digwydd cyn belled, dyma'r cwmwl mawr yn dechrau gorchuddio wyneb y lleuad. O fewn munud roedd popeth yn y parc yn hollol ddu. A dim ond y foment honno y sylweddolodd Tom beth oedd e wedi ei weld pan ddringodd e'r goeden o'r blaen – golau.

O dan y ddaear roedd rhywbeth yn creu effaith reit debyg i'r goleuadau yna sy'n cael eu hegni o'u paneli solar bach – dim byd llachar, dim ond rhyw loywder isel, tawel.

Wrth i Tom drio dygymod â'r holl wallgofrwydd hyd yn hyn, dyma'r goeden hithau'n dechrau ymuno yn yr hwyl! Dechreuodd un o'r tyllau bach, cnotiog, a fu mor ddefnyddiol wrth i Twm geisio dringo'r goeden, dyfu, a thyfu, a thyfu nes yn y diwedd roedd yn ddigon mawr i Tom lithro i mewn iddo. Roedd Tom ar fin gwneud hefyd, pan deimlodd ei ffôn yn crynu'n ei boced.

'Ble wyt ti?!' bloeddiodd ei dad.

'Dad?!'

'Tom, ble wyt ti? Dwed wrtha i!'

'Ond Dad!'

Caeodd y twll mawr yn ôl i'w faint gwreiddiol.

'Oes rhywbeth yn bod? Wyt ti mewn peryg? Ddo i yna nawr!'

'Na paid! Ddo i adre mewn munud.'

'Ond ble wyt ti? Mae Mam a fi'n poeni'n ofnadw!'

'Esbonia i pan ddo i 'nôl. Fydda i yna mewn hanner awr.'

'Tom . . !'

Caeodd Tom ei ffôn, llithrodd ar hyd y gangen, dringodd i lawr y goeden, 'nôl at y brif fynedfa ac adre â fe. Y drafferth oedd wrth gwrs – sut yn y byd oedd e'n mynd i esbonio rhywbeth doedd e ei hun ddim yn deall yn iawn yn y lle cynta!

5

Adre

'Ble wyt ti 'di bod?' gofynnodd tad Tom iddo fe'n syth pan gyrhaeddodd e adre yn ystod oriau mân y bore.

'O gad hi nawr Phil, mae'n rhy hwyr. Gewn ni sgwrs gall yn y bore. Mae'n saff. Mae e gartre. 'Na gyd sy'n bwysig ar hyn o bryd.' Beverley Evans, mam Tom, oedd llais rheswm y teulu, fel arfer.

'Ho! Ti oedd waetha awr yn ôl Bev! Ti oedd ar fin ffonio 999!'

'Wy'n gwbod! Ond do'n ni ddim yn gwbod ble'r oedd e bryd hynny. Felly gad hi. Cer di lan Tom bach.'

'Diolch Mam,' sibrydodd Tom wrth ei phasio, heb roi cyfle iddi newid ei meddwl.

Dyna'n union beth oedd ei angen ar Tom – mwy o amser i feddwl, cyfle i ystyried beth ddigwyddodd a thawelwch i baratoi esboniad call a chredadwy. Ond cyn iddo gael cyfle i wneud braidd dim, syrthiodd i gysgu fwy neu lai'n syth ar ôl iddo ddringo i mewn i'r gwely.

Daeth y bore'n rhy gynnar o lawer i Tom hefyd!

'Dere 'mlaen 'te. Ble o't ti? O't ti'n sylweddoli bod dy fam a finne yma'n poeni am ddwy awr neithiwr? Ti adre erbyn 11 fel arfer ar nos Wener,' oedd geiriau cynta Dad wrth y bwrdd brecwast.

'O Phil, newydd godi mae fe!'

'Na, Mam! Weda i ble o'n i.'

'Gwd,' meddai'r tad mwya' crac yng Nghymru (y diwrnod hwnnw!).

'Mis Medi dwetha dechreuodd yr holl beth . . .' dechreuodd Tom. O leiaf yr oedd wedi cael pum munud i gasglu ei feddyliau wrth lanhau ei ddannedd! Gonestrwydd a dweud pob darn o'r stori oedd y penderfyniad. Wedi'r cyfan dyna beth oedd e 'di cael ei ddysgu gan ei rieni er pan oedd e'n fabi, waeth beth y canlyniadau. Ond, fel yr oedd e wedi dysgu gyda'i ddyfarnu, rhyfedd fel mae theori rhywbeth yn gallu bod mor wahanol i'r ochr ymarferol ynte!

'Rybish. Rybish!' meddai tad Tom. 'Wyt ti'n disgwyl inni gredu bo' ti lan rhyw goeden yn y parc neithiwr pan oedd y cymylau'n sillafu dy enw di ar gae pêl-droed, gyda bach o help gan seren wib neu *feteorite* neu rywbeth?! 'Na'r esgus gwaetha am aros ma's yn rhy hwyr 'dw i 'di clywed ers . . . ers . . . y tro dwetha! Ti'n siŵr bo ti ddim yn cymryd rhywbeth?'

'Nadw, Dad! Mae'n wir! 'Na beth ddigwyddodd!'

'Reit . . . reit! Dere 'da fi 'te!'

'Ble ych chi'n mynd nawr?' gofynnodd Mam.

''Yn ni'n mynd i weld! *Os* oedd *meteorite* neu gomet neu beth bynnag wedi glanio yn Ponty Parc neithiwr, wy'i eisie 'i weld e!'

'Iawn . . . iawn!' Dyma gyfle Tom i brofi ei fod e'n dweud y gwir. Rhaid fod y graith yna'n dal ar y cae, meddyliodd.

'Hynny yw,' dechreuodd ei dad eto, 'os allwn ni

gyrraedd yna. Fydd y lle'n llawn cops a chyfryngis sbo! 'Synnwn i ddim na fydd Patrick Moore ei hun yna!'

'Pwy?'

'Y boi sêr 'na. Ti'n gwbod – fe sy' 'di bod yn cyflwyno *The Sky at Night* ers 1950 neu rywbeth. Be' maen nhw'n ddysgu i chi yn yr ysgol y dyddie 'ma wir?'

Ac allan â'r ddau i chwilio am y dystiolaeth.

6

Y Cae Criced

Ond pan gyrhaeddon nhw'r parc doedd dim heddlu, dim *Sky News* ac yn sicr dim Patrick Moore! Dyma'r ddau'n rhedeg yr holl ffordd i'r cae gan ddisgwyl gweld golygfa allan o *Doctor Who*, ac yn wir beth ddaeth i'r golwg oedd pymtheg o ddynion yn gwisgo dillad gwyn! Ond nid gwyddonwyr ag offer cymhleth oedden nhw, ond cricedwyr! A'r pethau mwya' cymhleth oedd ganddyn nhw oedd eu rheolau!

'Ble oedd e 'te?' oedd cwestiwn cyntaf ei dad.

'Draw fanna!' atebodd Tom. 'Onest!'

'Paid ti â siarad â fi am onestrwydd! Ti'n dweud mwy o gelwyddau heddi na bois insiwrans!'

Rhedodd Tom draw at y pwynt lle glaniodd y . . . y . . . Ond doedd Tom, hyd yn oed, ddim yn siŵr beth oedd e. Y cyfan a wyddai oedd ei fod e wedi gweld RHYWBETH.

'*Oi! Geroff the field!*' gwaeddodd un o'r maeswyr.

Doedd Tom na'i dad wedi sylwi fod y man glanio y tu mewn i raff ffin y cae criced.

'*Sorry,* Byt!' oedd ymateb naturiol Tom. Er iddo gael ei eni yng Ngheredigion, roedd ei fagwraeth yn ardal Pontypridd ers deuddeg mlynedd wedi golygu fod pob dieithryn, erbyn hyn, yn cael ei adnabod fel 'Byt'.

Erbyn hynny, roedd Phil Evans yn astudio'r coed.

'P'un oedd hi?'

'Hon'co! Yr un fawr 'na,' atebodd Tom gan bwyntio at y *Cawr*.

Astudiodd ei dad hi am ychydig cyn dweud:

'Wel, sa i'n gallu gweld twll digon mawr i ti yn hon!'

'Na!' ebychodd Tom yn ddiamynedd. 'Dyw'r twll MAWR ddim yna nawr. Ond wyt ti'n gallu gweld twll bach?'

'Dim ond yr un yna, sy'n edrych yn rhy fach hyd yn oed i roi cartre i ddryw os ti'n gofyn i fi.'

'Ond 'na'r pwynt!' eglurodd Tom. 'Agorodd y twll yna mor fawr nes imi bron â chwympo i mewn i ganol y goeden!'

'Co' ni off! 'Drych, well i ti weld doctor neu rywbeth. Falle bo ti 'di bod yn gweithio'n rhy galed. Mae'r arholiadau di-ben-draw yna'n achosi gormod o *stress* wy'n credu!'

'Na, Dad! Digwyddodd rhywbeth rhyfedd iawn yma neithiwr a dw i'n mo'yn gwbod beth!'

'Ocê, ocê. Wel caria di 'mlaen i chwilio 'te, ond paid gwneud unrhyw beth twp!' ychwanegodd Phil Evans gan siglo'i ben yn araf.

Yna'n sydyn, dyma rywbeth caled yn taro'n erbyn y goeden!

'Aaaaaa!' sgrechiodd Tom a'i dad fel côr – sgrech yn union fel un Mam wrth weld llygoden! Ond buan y stopiodd y sgrechian wrth i'r ddau sylweddoli mai chwerthin yn frwd yr oedd pawb arall o'u cwmpas. Dyna ryfedd yr effaith mae pêl griced yn medru ei chael ar bobl!

7

Carnifal

Er i gwpwl o wythnosau fynd heibio, roedd Tom yn dal mewn penbleth. Roedd yn dal i'w holi ei hun am beth yn union ddigwyddodd. Oedd e wedi breuddwydio neu ddychmygu popeth? Ond rhaid bod rhywun wedi gweld rhywbeth y noson honno! Rhaid bod rhywbeth ar ryw gamera CCTV yn rhywle, meddyliodd. Ond 'NA!' oedd ei ateb bob tro. Serch hynny, doedd e ddim wedi rhannu ei feddyliau gyda'i deulu na'i ffrindiau chwaith. Ac roedd ei dad yn falch iawn o hynny!

Roedd Tom wedi cadw draw o'r parc ers pythefnos. Doedd e ddim yn hollol bendant a oedd am fentro'r diwrnod hwnnw chwaith, ond credai ei fam y byddai gwylio carnifal blynyddol y dref yn helpu pawb. Felly, wedi cinio, dyma Phil a Beverley Evans, Tom a Ioan, ei frawd mawr, yn ei throi hi am y parc yn un teulu bach hapus.

Wedi cyrraedd prysurdeb canol y dref, aethant i sefyll ar y bont er mwyn gwylio'r hen geir a'r lorïau amrywiol yn pasio. Dyma, fel arfer, un o uchafbwyntiau'r carnifal. Yn eu mysg, roedd lorïau wedi eu haddurno gan nifer o ysgolion lleol, capeli, y Brownies, pobl y swyddfa dreth a hyd yn oed un gan dîm pêl-droed Pontypridd. Edrychodd Tom yn ofalus o'i gwmpas – oedd Michael Reed yna tybed? Roedd e eisiau gair os oedd e.

Ond er iddo graffu'n ofalus, buan y sylweddolodd Tom nad oedd neb o'r hen dîm dan 16 yna – roedden nhw'n ddynion nawr. Adar y nos oedden nhw bellach, allan ar strydoedd Pontypridd tan. Doedd bod ar lorri plant bach mewn rhyw garnifal dibwys ddim yn cŵl o gwbwl iddyn nhw bellach.

Trueni hefyd, meddyliodd Tom eto, gan y byddai'r olaf i groesi'r bont yng ngorymdaith y carnifal wedi mynd â'u bryd nhw'n siŵr! Pwy oedd yno ond tîm rygbi dan 16 Cymru. Ac nid lorri oedd yn eu cludo nhw drwy ganol y dref ond bws awyr- agored, gan mai nhw oedd pencampwyr Ewrop y flwyddyn honno, ac yn falch iawn o arddangos y cwpan arian yr oedden nhw wedi ei ennill yn Rhufain. Daeth gwên i wyneb Tom wrth sylwi ar bryd a gwedd y bechgyn – yn drwch o *gel* gwallt ac yn arddangos bach mwy o arian ac aur yn eu clustiau, ar eu bysedd a rownd eu gyddfau na holl Ferched y Wawr y sir! Ond hyd yn oed wedyn, doedden NHW ddim yn rhy cŵl i ddod i'r carnifal. Ac roedd y rhain wedi llwyddo, wedi cyflawni rhywbeth!

Ar ôl i'r bws deulawr arbennig fynd heibio, aeth Tom a'i deulu am y parc. Roedd y lle dan ei sang o bobl o bob lliw, llun a siâp yn tyrru am y stondinau lle roedd popeth ar gael o hufen iâ i *massage*. Roedd digon o gêmau ar gael i bob oedran hefyd – gwyddbwyll anferth gyda phlant ysgol wedi'u gwisgo fel y darnau du a gwyn, pysgota o bwll nofio bach, crwn i'r rhai lleiaf, dringo waliau, taflu balŵns llawn dŵr at ryw foi twp, rygbi saith bob ochr dan ofal pencampwyr Ewrop, pêl-droed pump bob ochr . . . a dyna lle welodd Tom . . . Michael Reed.

8

Sgwrs Fach

Fel fflach, daeth popeth yn fyw i Tom unwaith eto – y gêmau, y cwympo, y golau, y dringo, y cymylau, y seren wib, y mwg. Y foment honno, roedd arogl y mwg yn fwy real i Tom na'r cŵn poeth oedd yn cael eu coginio gerllaw. A'r gangen a'r twll anferth! Aeth draw at ymyl y cae ar frys gan adael ei rieni'n gwylio arddangosfa gŵn. Roedd e'n nabod amryw o chwaraewyr y gêm saith bob ochr, heb sôn am y dyfarnwr, yr hollwybodus Alan, ei hyfforddwr ar y cwrs reffarî. Ond awchu am sgwrs gyda Michael Reed yn unig roedd Tom.

Bu bron i'w amynedd fynd yn drech nag ef wrth i Tom orfod aros am ryw ddeg munud a mwy cyn i Alan chwythu'r chwiban olaf. Ond cyn iddo dynnu'r chwiban o'i geg, roedd Tom yn brasgamu ar hyd y cae tuag at un o'r chwaraewyr.

'Michael . . . Michael!' gwaeddodd Tom.

'O, haia!' oedd ymateb digyffro Michael Reed.

'Michael, dw i eisiau gair gyda ti,' ychwanegodd Tom yn frwd.

'Wnes i ddim byd fan'na – addo! Baglu dros y bêl wnaeth e!'

''Drych, paid â phoeni – dw i'm eisie dy fwco di heddi!' meddai Tom gyda gwên.

'*Makes a change*!' mentrodd Michael yn sarcastig. 'Be' ti mo'yn 'te?'

'Mo'yn gair gyda ti am y cwrt cosbi 'na dw i.'

'Be', hwn?' pwyntiodd Michael at yr hanner cylch oedd ar y cae o'i flaen.

'Nage! Am yr un ar y cae go iawn – ar y cae criced.'

'Be' amdano fe?' Roedd Michael Reed yn dechrau dangos ychydig bach o ddiddordeb o'r diwedd.

'Cer i newid ac fe gwrdda i di draw 'na mewn chwarter awr.'

'Ond mae gêm arall 'da fi mewn ugain munud.'

'Wel dere'n syth 'te!'

Cytunodd Michael.

Rhwng y cyrtiau tennis â'r cae criced eglurodd Tom yn fras beth oedd y sefyllfa a'r profiadau gafodd e rai wythnosau yn ôl.

'A 'na pam o'n i eisiau gair 'da ti.'

''Wedais i bo rhywbeth *weird* yna, yn do fe?' meddai Michael yn gyffrous.

'Do. Ond dyw pethau fel'na ddim yn digwydd yn aml 'whare teg – yn enwedig ym Mharc Ponty! Felly gelli di ddeall 'yn sefyllfa i hefyd gobeithio.'

'Galla . . .'

Wrth iddyn nhw agosáu at y *Cawr*, ymddangosodd dieithryn o'u blaenau.

'Haia bois,' meddai llais anghyfarwydd. 'Croeso i ddrws eich dyfodol . . .'

9

Drws y Dyfodol

O'u blaenau nhw yr oedd bachgen tuag un deg chwech mlwydd oed mewn gwisg rygbi Cymru.

'Pwy wyt ti?' gofynnodd Tom yn ofalus.

'Bleddyn Roberts yw'r enw, ond nid fi sy'n bwysig heddi, Tom.'

'Sut . . ?' mentrodd Tom mewn penbleth.

'Michael . . .' dechreuodd y bachgen eto. 'O'n i'm yn siŵr a fyset ti'n dod 'ma heddi. Sylwes i arnot ti'n chwarae pêl-droed ond ges i'm cyfle i sgwrsio, felly diolch i ti Tom am fynd i'w nôl e.'

Erbyn hynny, roedd hyd yn oed yr hyderus Michael Reed yn edrych braidd yn nerfus ac yn ofnus.

'Mae gêm arall 'da fi nawr,' mentrodd mewn llais bach. 'Well i fi fynd!'

'Gei di fynd cyn bo hir, ond arhosa i glywed be' sy' gen i i'w ddweud gynta!' oedd yr unig ymateb.

Ar hynny, dechreuodd ambell berson arall ymlwybro draw tuag atynt o gyfeiriad y carnifal. Roedd yr holl sefyllfa'n ymddangos yn afreal iawn i Tom a Michael wrth i Bleddyn Roberts groesawu pawb yn eu tro.

'Haia Siân, Guto, Rhys . . . Naomi, Ruth . . . ac Aaron! Dyma Tom a Michael. Nawr, rwy'n sylweddoli falle bod hyn i gyd yn ymddangos braidd yn od i chi ar hyn o bryd, ac mae'n siŵr eich bod chi'n meddwl pwy ydw i a pham ydw i – a chi – yma. Ond yn hytrach nag esbonio popeth ar hyn o bryd, mae gen i gwestiwn i'w ofyn i chi: 'Oes 'na rywun yma sydd HEB gael profiad "rhyfedd" yn y parc yma yn ystod y flwyddyn ddiwetha?'

Nid atebodd neb. Roedd y distawrwydd yn llethol.

Mentrodd Tom edrych yn fwy craff ar y criw o'i gwmpas. Plant rhwng deg a deuddeg oed oedd Siân, Guto a Rhys, roedd Naomi a Ruth yn eu hugeiniau cynnar a dyn yn ei dridegau oedd Aaron. Ond beth bynnag eu hoedran, roedden nhw i gyd yn edrych fel delwau'r funud honno. Roedd pawb, ar wahân i Bleddyn, yn rhy ofnus i yngan gair.

'Iawn. Tom a Michael i ddechrau, beth ddigwyddodd yn y gêmau pêl-droed yna bois? Ac yna, yn fwy diweddar wrth gwrs, ges di dy noson fawr di, on'd do Tom?'

Edrychodd y ddau fachgen ar ei gilydd mewn syndod – newydd ddweud wrth Michael oedd Tom am y 'noson fawr'.

'Siân, Guto a Rhys – chi'n cofio be' welsoch chi o dan y dŵr yn y pwll?'

Nodio'n dawel oedd unig ymateb y plant.

'Naomi a Ruth, chi oedd yn torheulo ontefe?'

'Ie,' nerfus iawn a gafwyd gan y ddwy.

'Ac Aaron, beth welaist di ar y cwrs golff yn ddiweddar?'

'Dim byd!' oedd sylw eitha swrth Aaron. Doedd e ddim yn ddyn oedd yn credu mewn unrhyw beth nad oedd e'n medru esbonio.

'Na, na . . . a dim ond digwydd cerdded draw 'ma nawr wnest di, ontefe?'

'Ie . . . wy'i ar y ffordd i . . .' Ond y drafferth oedd, doedd y *Cawr* ddim ar y ffordd i unrhyw le.

Rhywsut, rywfodd, roedd Bleddyn fel pe bai e'n nabod pawb ac yn gwybod eu hanes i gyd.

'Peidiwch â phoeni o gwbl, gyfeillion, yn enwedig chi'ch tri,' meddai Bleddyn yn wên o glust i glust gan bwyntio at Siân, Guto a Rhys. 'O'n i yn yr un cwch yn union â chi y llynedd, felly wy'n deall shwd ych chi'n teimlo'n iawn.'

O dipyn i beth, aeth Bleddyn yn ei flaen i esbonio beth ddigwyddodd iddo fe yn ystod carnifal y flwyddyn cynt – yr un ysfa i gyrraedd y *Cawr*, yr un chwilfrydedd i wybod mwy a'r un angen i egluro'r digwyddiadau rhyfedd yn ei fywyd e yn ystod y flwyddyn flaenorol.

'Mae gan Tom syniad go dda beth yw'r cam nesa'.'

'Oes e?' meddai Tom, oedd wedi anghofio pob syniad oedd e erioed wedi'i gael ar y pryd.

'Dw i am i chi ddringo'r goeden.'

'Oooo! Wela i.'

'Ac yna, pan agorith y twll . . . ewch i mewn.'

10

I Mewn â Nhw

Dechreuodd Tom ddringo'r *Cawr* am y trydydd tro.

'Ond mae gêm bêl-droed 'da fi,' meddai Michael Reed a oedd yn anesmwyth iawn ynglŷn â'r sefyllfa.

'Dw i'n siŵr y gwnei di werthfawrogi be' sy' fan hyn yn fwy nag unrhyw gêm fach bêl-droed, Michael!' Dechreuodd Bleddyn geisio perswadio Michael y manteision o aros.

'Ond beth am y bois eraill?'

'Mae digon o *subs* 'da nhw, ond oes?'

'Oes.'

Unwaith eto roedd Bleddyn yn gwybod mwy nag y dylai.

'Wel, dw i ddim yn aros fan hyn i ddringo coed.' Aaron yr anghrediniwr oedd wrthi tro 'ma. 'Stopais i ddringo coed pan o'n i'n bedair ar ddeg.'

'O ie, ar ôl iti gwympo mewn i Lyn Tegid pan o't ti'n aros gyda'r ysgol yng Nglan-llyn,' meddai Bleddyn. 'Beth hoffet ti fod, Aaron? Ble wyt ti'n mynd yn dy fywyd?'

'Wy'n mynd fy ffordd fy hun, diolch yn fawr iawn. A dyw hwnna ddim yn cynnwys gwrando ar ryw *weirdo* mewn cit rygbi yn dweud wrtha i beth i'w wneud.'

'Dw i ddim yn "dweud wrthyt ti beth i'w wneud"! Cynnig cyfle ydw i. Mae hwn fel drws y dyfodol i ti a phawb arall sydd yma heddi – ac mae croeso i ti fynd trwy'r drws neu droi i ffwrdd. Ond dyma'r unig dro y bydd y drws yn agor i ti.'

Heb feddwl ddwywaith, trodd Aaron ei gefn ar Bleddyn ac yn ôl â fe at rialtwch y carnifal a normalrwydd ei fywyd ei hun.

Erbyn hyn roedd Tom wedi cyrraedd cangen bwysig y *Cawr*, ac arni'r twll rhyfedd hwnnw a agorodd o flaen ei lygaid y noson o'r blaen. Dringodd Naomi a Ruth i fyny'r goeden hefyd ac fe helpodd pawb Siân, Guto a Rhys, oedd yn meddwl fod yr holl beth yn *wicked*, i fyny hefyd.

Yn rhyfedd iawn, fel petai'n medru darllen meddyliau'r dringwyr o'i flaen, dyma Bleddyn yn ychwanegu'r geiriau: 'Ddwedais i ddim wrth fy rhieni i chwaith,' yn bwyllog a deallus. 'Fyddwch chi 'nôl cyn bo nhw'n sylwi bo chi 'di mynd beth bynnag!'

'Fydda inne 'nôl nawr,' meddai Michael wrth redeg yn ôl i gyfeiriad y cyrtiau tennis.

'Ond Michael . . !'

Doedd Bleddyn ddim wedi argyhoeddi'r pêl-droediwr chwaith. Rhedodd hwnnw â'i lygaid yn llydan agored mor gyflym ag y gallai tuag at y cae saith bob ochr. Ond, erbyn hynny, roedd gan y criw yn y goeden bethau mwy cyffrous i ddenu eu sylw.

Yno, yng nghanol y brigau, yn dawel, dawel, dechreuodd y twll bach cnotiog dyfu, a thyfu, a thyfu. Ceisiodd Tom syllu i berfedd y twll, heb fedru gweld dim. Roedd Guto, ar y llaw arall, yn siŵr ei fod e wedi gweld pâr o lygaid yn blincio ac yn wincio arno. Beth bynnag oedd yr olygfa o'u blaenau, doedd llygaid y ddau ddim yn medru symud o'r twll.

'Tom, dw i'n meddwl y dylet ti fynd gynta',' meddai Bleddyn o waelod y *Cawr*.

Gan dynnu llond ysgyfaint o awyr iach, roedd Tom yn gwbwl argyhoeddedig o'r ateb.

'Iawn,' meddai. Ac i mewn ag e.

Yn araf, â'i draed yn gyntaf, llithrodd Tom i mewn i'r twll. Dilynodd pawb arall yn ei dro. Ruth oedd yr olaf i lithro. Yna'n sydyn, unwaith yr oedd pawb wedi diflannu o'r golwg, caeodd y twll yn ôl yn fach. Gyda hynny diflannodd Bleddyn, ac roedd pob dim yn edrych fel arfer unwaith eto.

Cyrhaeddodd Michael Reed waelod y *Cawr* toc a dechrau dringo. Dringodd i'r gangen arbennig y soniodd Tom amdani a dechreuodd fwrw'r twll cnotiog.

'Agor wnei di, agor!' sgrechiodd. 'Agor! Wy'n barod nawr.'

Ond yn ofer. Tawelodd a pheidiodd â bwrw'r twll gyda'i ddwylo a oedd, erbyn hyn, yn friwiau i gyd. Arhosodd ar y gangen am ychydig gan edrych yn hiraethus ar y siâp cnotiog, di-ffurf. Yn raddol, dechreuodd deigryn ddisgyn dros ei foch wrth iddo sylweddoli ei fod yn rhy hwyr . . .

Ar Waelod y Llithren

Roedd y daith i lawr trwy ganol y *Cawr* dipyn yn hirach nag oedd Tom wedi'i ddisgwyl. Er hynny, roedd yn well nag unrhyw reid yn Oakwood ac Alton Towers hefyd, meddyliodd, gan nad oedd gan yr un o'r criw unrhyw syniad beth oedd yn ei ddisgwyl yn y pen draw! Ar ôl cychwyn mewn tywyllwch, yn sydyn ymddangosodd pob math o liwiau o'u cwmpas. Disgynnodd Tom drwy ardal goch ac un las, yna daeth melyn a gwyrdd cyn teithio drwy dwneli porffor, aur ac oren. Wedi beth oedd yn teimlo fel munud o syrthio, newidiodd y lliwiau yn lluniau.

Yn fflachio fel ar sgrin deledu o'i flaen, gwelodd luniau o bobl – rhai'n adnabyddus, rhai oedd siŵr o fod yn adnabyddus i eraill er nad oedd Tom yn eu hadnabod nhw, a rhai wynebau cyfarwydd iawn. Gwelodd amryw o luniau o'i deulu – ei fam, Ioan ei frawd, Anti Carys, Nicky a Paulette ei gyfnitherod. Roedd rhai ohonynt yn hen luniau cyfnodau o wyliau roedd Tom yn cofio'n dda o'i blentyndod yn Abergwaun, Aberystwyth a Chaernarfon. Roedd eraill yn fwy diweddar. Rhyfedd hefyd, meddyliodd, gan nad oedd e wedi gweld y rhan fwyaf o'r teulu yn y lluniau hynny ers blynyddoedd. Doedd yr un briodas nac angladd wedi bod ers oesoedd, dyna pam!

Un peth od arall y sylwodd Tom arno ymhen ychydig oedd y diffyg lluniau o'i dad oedd yn yr oriel hon. Doedd dim un llun ohono. Ond meddyliodd Tom hwyrach mai ei dad oedd wedi tynnu'r holl luniau, wrth gwrs, felly doedd dim modd iddo fod ynddyn nhw hefyd!! Serch hynny, roedd hi'n rhyfedd nad oedd un llun ohono i'w gael yn eu plith o gwbwl!

Yn sydyn, glaniodd Tom ar waelod y twnnel. Roedd y golau gwyn ar y gwaelod mor llachar nes iddo gau ei lygaid yn syth. Ceisiodd symud allan o'r ffordd gan feddwl fod y lleill yn mynd i lanio ar ei ben unrhyw eiliad, ond doedd dim lle iddo gilio o'r ffordd! Plygodd ychydig, gan godi ei ddwylo dros ei ben i geisio amddiffyn ei hun. Teimlodd fel yr oedd e'n arfer teimlo pan oedd e'n rhedeg tuag at y llinell gais tra oedd e'n chwarae rygbi dros yr ysgol a'r gwrthwynebwyr yn rhedeg yn chwim ar ei ôl – pryd ddaw'r fraich? Pryd ddaw'r dacl? Pryd ddaw'r boen? Ond er disgwyl a disgwyl, chyrhaeddodd neb arall.

Cododd Tom ar ei draed ac agor ei lygaid yn araf gan geisio cyfarwyddo â'r golau llachar. Dechreuodd droi. Beth nawr? Meddyliodd. Roedd Tom ar ei ben ei hun ar waelod twnnel rhyfeddol. Twnnel hir, twnnel lliwgar, twnnel yn llawn atgofion. Teimlodd yr ochrau o'i gwmpas. Roedden nhw fel gwydr cynnes, llyfn.

Yn sydyn, sylwodd ar smotyn yn y pellter. Tyfodd y smotyn yn gyflym wrth nesáu ato i ddatgelu nifer o smotiau eraill. Trodd y smotiau'n llythrennau – llythrennau oedd yn sillafu ei enw mewn llythrennau bras: TOM MARC EVANS.

Yna, o dan ei enw, heb sgrin na thaflunydd i'w gweld yn unman, dechreuodd rhyw fath o fideo chwarae yng nghanol y golau. Gwyliodd Tom yr olygfa o'i flaen yn ofalus. Ffilm o fabi bach oedd ar ddechrau'r fideo. Babi hapus yn y bath ac ym mreichiau ei fam.

'Mam!' llefodd.

Roedd y steil gwallt a'r dillad wedi newid yn sicr ond roedd wyneb ei fam yn gwbwl glir. Ymddangosodd plentyn arall. Pwy oedd hwnnw? Bachgen bach.

'Ioan!'

Ond doedd dim sôn am ei dad o hyd! Trodd popeth yn ddu.

'Dw i'n rhy brysur . . . Mae gormod o waith 'da fi . . . Dw i'n mynd ma's . . . Gofala di amdanyn nhw . . . Do'n i ddim eisie'r ail un 'ma mor glou, ta beth!'

Chwiliodd eto am lun ei dad yn y twnnel. Chwiliodd a chwiliodd. Ond methodd! Oedd, roedd sŵn ei lais yn ddigon clir a'r geiriau'n llawn ystyr, ond doedd dim golwg ohono'n unman. Fel pe bai'r nerth i gyd wedi dianc o'i gorff, llithrodd Tom i'r llawr a dechrau beichio crio. Teimlai'n grac wrtho'i hun am fynd i'r fath gyflwr!

Yn raddol, dechreuodd dynnu ei hun at ei gilydd. Daeth i ystyried ei amgylchiadau a meddwl yn ddwys am ei deulu. Meddyliodd am yr holl amser y treuliodd ei dad gyda Ioan, a'r holl amser y treuliodd e gyda'i fam. Cofiodd y ganmoliaeth uchel i bopeth a wnâi Ioan a'r 'O . . . reit' a gâi e. Ceisiodd gofio'r cyfnodau arbennig a dreuliodd gyda'i dad yn trin a thrafod gêm bêl-droed, ei waith cartre neu'n rhoi'r byd yn ei le. Ond er cymaint y triai, doedd dim yn tycio. Ar wahân i ambell daith yn y car yn ôl ac ymlaen i'r ysgol, a'r radio'n seinio'n uchel gyda newyddion y dydd neu ryw gerddoriaeth hen-ffasiwn, doedd dim perthynas glòs wedi bod rhwng y ddau.

Er hynny roedd bywyd teuluol Tom yn eitha hapus. Roedd e'n dwlu ar ei fam ac roedd ei fam yn dwlu arno fe. Doedd Tom erioed wedi ystyried y pethau yma o'r blaen. Beth bynnag, roedd e'n meddwl fod pob tad yr un peth gyda'r ail fab. Dim ond yr etifedd, y mab hynaf, yr arwr oedd yn cael y sylw pennaf. Ond yng nghanol y düwch, dechreuodd Tom gofio pethau eraill. Yr ymdrech ychwanegol roddodd e i mewn i bopeth – y gwersi piano, y canu yn y capel, y garddio, y tacluso, yr holl chwaraeon – hyd yn oed yr arholiad i fod yn ddyfarnwr. Sylweddolodd yn sydyn mai dyna pam oedd e eisiau'r marciau llawn, y cant y cant perffaith! Ond ddaeth dim canmoliaeth gan ei dad o hyd. Falle mai dyna pam yr oedd e'n ei chael hi mor hawdd i weld pob dim o ongl arall!

12

Cip ar y Dyfodol

Wedi cyfnod hir ar waelod y twnnel yn meddwl a chrio, cododd y golau eto. Gyda hynny, daeth lluniau newydd i wynebu Tom. Ffilm y tro hwn. Doedd e ddim yn siŵr o'r lleoliad – ond roedd e'n bendant yn adnabod rhai o'r cymeriadau ynddi, er bod rhywbeth yn wahanol ynglŷn â'i hymddangosiad. Gallai weld Siân, Guto a Rhys, ond erbyn hyn roedden nhw wedi tyfu'n oedolion. Roedd Siân yn athrawes, Guto'n blismon a Rhys yn adeiladu rhywbeth neu'i gilydd. Yna sylwodd ar Naomi a Ruth yn teithio'r byd . . . ar gwch . . . ond nid ar fordaith foethus. Roedd y ddwy yn ddoctoriaid ar gwch oedd yn ceisio cynnig cymorth i bobl dlawd a difreintiedig y byd. Roedd fel pe bai'n syllu i mewn i ryw bêl grisial arbennig.

Ond nid dyna ddiwedd y ffilm. Ymhen ychydig, dyma Tom yn gweld yr hen foi, Aaron, yr un wnaeth gerdded i ffwrdd o gysgod y *Cawr*. Dyna lle'r oedd e'n chwarae golff yn erbyn sêr y byd ac yn curo hyd yn oed Tiger Woods!

Cyn i Tom fedru cael ei wynt ato, ymddangosodd wyneb cyfarwydd arall ar y sgrin. Wyneb Michael Reed. Dyna lle'r oedd Michael yn chwarae pêl-droed unwaith eto. Ond nid ym mharc Ynysangharad, Pontypridd, yr oedd e chwaith. Roedd e bellach yn chwarae ar feysydd pêl-droed mwya Prydain, Ewrop a'r byd! Mewn pum eiliad roedd Tom wedi llwyddo i weld gyrfa'r pêl-droediwr ar ei hyd. Ond pam? Beth oedd gan Michael Reed i'w wneud â'i fywyd e, holodd Tom ei hun mewn penbleth. Onid oedd ganddo ddigon ar ei feddwl wrth ystyried y berthynas rhyngddo ef a'i dad heb sôn am gael yr holl wynebau eraill yma'n cymhlethu'r sefyllfa hefyd?

*   *   *

'Tom . . . Tom! Wyt ti'n mynd i godi heddiw neu be'?' oedd y geiriau cyntaf a glywodd Tom o'i wely. 'Mae Dad a fi eisie galw draw gyda Ioan am funud . . . felly well i ti godi nawr a gwisgo.'

Oedd, roedd Tom yn ôl yn ei stafell wely, yn y tŷ. Ond, doedd y peth ddim yn gwneud synnwyr . . .

13

Ar ei Ben ei Hun

Felly dyna lle'r oedd Tom − gartref, yn ei wely, ar ei ben ei hun. Doedd dim clem ganddo ers faint yr oedd e wedi bod yno. Doedd dim clem ganddo chwaith pa ddiwrnod oedd hi! Tynnodd gefn ei law dros ei dalcen yn raddol cyn gollwng ochenaid anghyffyrddus.

Yn sydyn, cofiodd am ffordd y gallai ddechrau rhoi trefn ar bethau. Y teledu. Cofiodd nad oedd teledu ganddo yn ei stafell wely, felly lawr â fe ar ras i wylio'r teledu yn yr ystafell fyw. Gwasgu'r botymau. 501 − *Sky News*. Byddai'r amser a'r dyddiad weithiau'n ymddangos ar waelod y sgrin ar y sianel honno. Ac yn wir, ar waelod y bocs bach ar yr ochr chwith roedd yr amser. Deuddeg munud wedi deg. Ond beth am y dyddiad? O'r diwedd, trodd y bocs i ddangos taw Mehefin 30 oedd hi − y diwrnod wedi'r carnifal.

Grêt, meddyliodd wrtho'i hun. Roedd y dyddiad a'r amser ganddo − ond ar wahân i'r rheini, dim byd. Dim gwybodaeth bellach. Methai ddirnad beth yn union oedd wedi digwydd iddo'r diwrnod cynt. Roedd Tom wedi darllen digon o lyfrau am bobl yn deffro o freuddwyd oedd yn teimlo fel antur. Ai dyna beth ddigwyddodd iddo fe? Dechreuodd wenu wrth gofio'r dringo, y twll yn agor, a'r llithro i lawr y twnnel hir, lliwgar . . .

Gyda hynny, tynnwyd ei sylw yn ôl i'r teledu yng nghornel yr ystafell. Gair oedd wedi tynnu ei sylw. Gair cwbwl annisgwyl. Dyna fe eto. 'Ship'. Dyna oedd y gair pwysig. Cododd Tom ei glustiau ac edrych ar y sgrin eto. Gwelodd long enfawr, a honno'n aros mewn porthladd rywle yn yr Affrig. Yna daeth lluniau o berson yn archwilio pen, llygaid a cheg rhywun arall, cyn newid i ddangos llawdriniaeth o ryw fath. Cofiodd Tom am y fideo o Naomi a Ruth a welodd e'r diwrnod cynt. Rhyfeddodd at y tebygrwydd rhwng yr eitem yma a'r hyn yr oedd wedi ei weld, er mai doctor arall oedd yn chwarae'r brif ran, wrth gwrs. Ar hyd gwaelod y sgrin roedd stribed o eiriau'n teithio i 'nunlle ac yn datgan:

Desperate need for new doctors on Mercy Ship.

Dim breuddwyd oedd hi felly. Nid rhyw ffantasi ar sgrin fideo hynod. Roedd yr hyn oedd yn cael ei ddangos ar y sgrin deledu o'i flaen y funud honno'n golygu newid byd i Tom. Oedd, wrth gwrs, roedd e'n dal eisiau canfod atebion i lu o gwestiynau oedd yn troi o gwmpas ei ben – sut y daeth e allan o'r goeden? Am faint y bu yno? Beth ddigwyddodd neithiwr? Ond, bellach, roedd rhywbeth tipyn mwy pwysig ganddo i'w ystyried nawr. Os oedd yr hyn a welodd am Naomi a Ruth yn wir, wel, roedd yn rhaid felly fod yr holl stwff 'na am ei dad yn wir hefyd. Tynnodd anadl ddofn o ansicrwydd. Beth oedd e i fod i'w wneud am yr holl beth felly, holodd ei hun.

Daeth i'r casgliad nad oedd dim amdani ond rhoi trefn ar bethau yn ei feddwl. Rhaid bod ateb rhesymol i'r cyfan. Ceisiodd gofio popeth am y diwrnod cynt. Y teimladau hapus a normal wrth deithio yn y car gyda'i rieni ar y ffordd i'r carnifal. Parcio ac yna cerdded, a'i fam wrth ei ochr, i ben yr hen bont i wylio'r *floats* – yr ysgolion, y capeli, y Brownies, yr un od yna gyda phobl y swyddfa dreth, y tîm pêl-droed a thîm rygbi Cymru. Cofiodd y cwpan arian, hardd a enillwyd yn Rhufain – ac yna sylweddolodd pwy oedd yn dal y cwpan pan basiodd y bws yr hen bont – Bleddyn Roberts! Ar y pryd doedd Tom ddim yn ei 'nabod e wrth gwrs, ond wrth geisio meddwl yn ôl sylweddolodd mai dyna'r un a edrychodd i fyny i gyfeiriad Tom.

Roedd ei feddyliau'n rasio erbyn hynny. Ceisiodd gofio mwy. Beth ddywedodd Bleddyn eto wrth fôn y *Cawr*?

'O'n i yn yr un cwch â chi'r llynedd, felly rwy'n deall shwd ych chi'n teimlo'n iawn.'

Cododd Tom a rhuthro i mewn i'r gegin. Twriodd drwy'r cypyrddau di-drefn am raglen y carnifal. O'r diwedd, llwyddodd i gael hyd iddi o dan rysáit ei fam am gacen fanana. Dechreuodd chwilio drwyddi am unrhyw beth a allai ei helpu i roi trefn ar ei feddyliau. Gwybodaeth am y tîm rygbi fyddai'n ddelfrydol, meddyliodd. Ac yn wir, yno, ar dudalen saith roedd erthygl – erthygl oedd yn golygu dim iddo ddoe ond erbyn hyn . . . Dechreuodd ddarllen . . . Bleddyn Roberts, Blaen-asgellwr o Solfach . . .

Ond o ddarllen, roedd un ddrysfa arall o gwestiynau'n dechrau rhuthro drwy ei feddwl. A oedd Bleddyn wedi bod ym Mhontypridd y flwyddyn gynt 'te? Neu a oedd coed 'arbennig' i'w cael ym mhobman? Cyn heddiw, roedd Tom wedi tybio taw ei goeden e – y *Cawr* – oedd yr unig goeden yn y byd oedd â'r pethau rhyfedd yma'n digwydd ynddi. Ond nawr, doedd e ddim yn siŵr. Efallai y byddai'n rhaid ailystyried – ailystyried popeth!

14

Dad

Rownd a rownd. Roedd y cyfan yn troi rownd a rownd ym mhen Tom nes bron ei yrru o'i gof. Ond roedd yn rhaid iddo ganolbwyntio. Roedd yn rhaid iddo ganfod atebion.

Y peth cyntaf yr oedd angen iddo ei ailystyried oedd ei berthynas â'i dad. Oedd, roedd nifer fawr o bethau eraill wedi codi ar ei siwrnai anhygoel ddoe – ond pethau ar gyfer y dyfodol oedd y rheini. Roedd Tom yn ddigon doeth i sylweddoli fod angen iddo fynd ati i sefydlu perthynas agosach â'r dyn pwysicaf – i fod – yn ei fywyd.

Daeth syniad i'w feddwl. Aeth ati i gasglu popeth oedd yn dangos beth oedd e wedi ei gyflawni dros y blynyddoedd. Pob tystysgrif, pob medal, pob cerflun, pob gwobr, pob darn o wybodaeth bosib o'r ysgol nes bod bwrdd y gegin yn orlawn. Yna aeth i chwilio am luniau, lluniau o'r teulu, lluniau o'i blentyndod, lluniau oedd wedi arfer dod â phleser iddo, ond erbyn hyn . . .

Ymhen dim, roedd bwrdd y gegin yn edrych fel un o stondinau marchnad Pontypridd. Roedd popeth o'i flaen yn dod ag atgofion yn ôl iddo. Mewn ffordd, dyma oedd hanes bywyd Tom ac roedd y pethau gweledol yma'n pigo'i gof ac yn dod ag adegau arbennig o'i blentyndod yn ôl i'w feddwl. Roedd pob un o'r lluniau a'r arteffactau fel carreg filltir i ddangos ble'r oedd e wedi bod, a pha mor bell oedd e wedi teithio.

Agorodd y drws ffrynt.

'Iŵ-hŵ!' oedd cyfarchiad arferol ei fam i gyhoeddi ei bod hi adre. Roedd hi mor wahanol i'w dad. Tawelwch oedd ei iaith arferol e.

'Ble wyt ti, bach?' gofynnodd hi. Ond chafodd Tom ddim cyfle i ateb oherwydd fod ei fam yn holi'r cwestiwn wrth agor drws y gegin ar yr un pryd.

'Hawyr bach! Be sy'n digwydd fan hyn?' oedd ei geiriau amlwg. Roedd hi'n sefyll yn gegrwth wrth y drws tra bod Tom yn dechrau cochi hyd fôn ei glustiau. Teimlai yntau braidd yn betrus wrth geisio cynnig ateb.

'Ym . . . Wel . . . Eisie gair 'da Dad ydw i.'

'Beth? Mae digon o bethau gyda dy dad i wneud,' dechreuodd ei fam eto. ''Drych, clira'r bwrdd yma – wy'i eisie 'neud cin'o.'

'Mam – wy'i mo'yn gair 'da Dad!' Roedd geiriau Tom yn araf a phwyllog.

'Ti'n siŵr? Ti'n cofio beth wedaist di neith'wr yn dwyt ti?'

Doedd Tom ddim yn cofio o gwbl. Beth ddwedodd e? Gobeithiai'n fawr nad oedd e wedi dweud unrhywbeth *embarrassing*! Falle y dylai ohirio'r *showdown* am gwpwl o ddyddiau, meddyliodd wrtho'i hun.

'Ti'n well?'

Trodd Tom yn sydyn i gyfeiriad y llais. Ei dad oedd

yno. Edrychodd Tom arno. Dyma'r tro cyntaf iddo edrych ar ei dad yn iawn ers peth amser. Dyn yng nghanol ei bedwardegau oedd yn dechrau colli'i wallt ac yn dechrau magu bol. Gyda'i dreinyrs, jîns, ei grys polo a'i siwmper Lerpwl, roedd e'n edrych yn ddigon trwsiadus ar y tu fas. Ond nid hynny oedd yn bwysig iddo heddiw. Roedd am edrych yn ddyfnach – edrych o dan y croen, ac i wreiddyn ei fod.

'Dw i ddim yn gwbod beth wedais i neithiwr – ond wy'i ar ddihun heddi a wy'n gwbod be wy'n dweud.' Roedd y geiriau'n llifo o enau Tom.

'O da iawn ti,' meddai ei fam yn ddisylw.

'A wy'n gwbod mwy na hynny hefyd!' ychwanegodd Tom gan godi ar ei draed.

'Ti'n gweld rhain Dad? . . . 'Drycha!' meddai gan bwyntio at yr olygfa o'i flaen. 'Ar y bwrdd mae popeth wy'i 'di gyflawni erioed. Ti'n cofio'r twrnameint pêl-droed dan saith a'r gystadleuaeth rygbi dan un ar ddeg a'r athletau a'r gwyddbwyll a'r reffario?'

'Ydw!' atebodd ei dad yn ceisio rhesymu holl gwestiynau Tom.

'Nagwyt ddim!' meddai Tom yn ffyrnig eto. 'Dwyt *ti* ddim yn cofio un o rhain achos doeddet *ti* ddim yno! Mam oedd 'da fi drwy'r amser. O't *ti'n* rhy brysur yn gweithio . . . neu'n peintio . . . n-neu'n sychu tîn Ioan! Dwyt *ti* erioed wedi cael amser i fi – dwyt *ti* erioed wedi bod yna i fi – dwyt *ti* erioed wedi . . . wedi 'ngharu i!'

'O Tom!' sgrechiodd ei fam o gornel y gegin, a'r

dagrau'n llifo'n ffrwd i lawr ei gruddiau. Cerddodd ei dad allan o'r ystafell wrth i Tom syrthio ar ei liniau ar lawr. Roedd e'n teimlo'n swp sâl, ond gwyddai un peth i sicrwydd – doedd e ddim eisiau crio'r tro 'ma. Cymerodd anadl ddofn. Mewn rhyw ffordd ryfedd, roedd e'n teimlo'n reit falch ohono'i hun. Roedd angen dweud beth ddwedodd e. Fe ddylai fod wedi gwneud ymhell cyn hyn, er cymaint y gwyddai fod ei eiriau'n brifo.

Bu'r cyfan yn dawel am dipyn. Yna, ar ôl rhyw chwarter awr agorodd y drws eto a daeth ei dad yn ôl i'r gegin. Roedd yn amlwg ei fod wedi cael ysgytwad. Erbyn hynny, roedd Tom a'i fraich yn dynn o gwmpas ei fam er bod y ddau heb ddweud gair wrth ei gilydd.

'Ti'n sy'n iawn, Tom,' dechreuodd ei dad. 'Alla i ddim gwadu dim.' Arhosodd am funud i gasglu ei eiriau. 'Ers i ti gael dy eni . . . mae'n wir fy mod i wedi teimlo . . . teimlo'n wahanol tuag atat ti nag at dy frawd.'

Roedd Tom fel petai'n teimlo rhyw ryddhad o glywed ei eiriau.

'Ond . . . pam, Dad?'

'Gad i mi orffen be' sy' gen i i'w ddweud yn gynta.' Fe dria i esbonio . . . falle y gwnei di ddeall wedyn.'

Yn araf, dechreuodd ymbalfalu ymysg y trugareddau ar y bwrdd, gan godi ambell fedal a cherflun yn bwyllog.

'Dy fam oedd eisiau plentyn arall, nid fi – yn enwedig mor fuan ar ôl Ioan. Fel wyt ti'n gwbod, dw i ddim yn dod o deulu mawr, ac yn fy mhen, cyfrifoldeb dy fam, a dy fam yn unig, oeddet ti. Ac ydy! Mae'n wir i mi ganolbwyntio fy sylw i gyd ar Ioan ar y cychwyn. Falle mai fi oedd yn naïf. Ro'n i'n meddwl yn siŵr y byddai'r berthynas rhyngot ti a fi'n tyfu'n naturiol gydag amser. Wedi'r cwbwl, roedden ni i gyd yn byw yn yr un tŷ. Ond . . . am ryw reswm . . . ac er mawr syndod i mi, nid felly y bu. Ddatblygodd y berthynas ddim. Roedd yr holl beth yn anffodus . . . yn dorcalonnus. Ond beth allen i 'neud? Doedd dim bai arnat ti . . . dim bai o gwbwl. Beth mwy alla i ddweud? S-sori!'

Methai Tom â chredu ei glustiau!

'Sori! Oes rhywbeth yn bod? Dwyt ti erioed wedi dweud "sori" wrtha i o'r blaen!' Taflodd y geiriau yn ôl at ei dad.

'Tom! Paid!' dechreuodd ei fam yn ddagreuol. 'Gwranda! Ioan. Mae Ioan yn sâl. Ma fe newydd ddweud wrthon ni.'

Llyncodd Tom yn galed am eiliad.

'Ioan?' mentrodd. 'Be sy'n bod arno fe?'

'Dyw e ddim yn gwbod,' eglurodd ei fam ychydig yn fwy hyderus. 'Mae e 'di bod am brofion . . . ond dyw e ddim wedi cael y canlyniade 'to.'

'Waw.'

'Ie, waw! Felly nid ti yw'r sioc gyntaf i ni'n dau heddi.'

Dechreuodd Tom deimlo'n fach. Pe bai twll mawr yn agor yn y llawr y funud honno, byddai'n fwy na bodlon neidio i mewn iddo i guddio.

'Sori . . . do'n i ddim yn gwbod . . .' sibrydodd.

'Meddwl amdanat ti wnaethon ni'n syth . . .' eglurodd ei dad.

'Be? Meddwl, "O na! Mae'r cyntaf-anedig yn dost, felly well i mi gydnabod y llall sbo!?"' taniodd Tom eto.

'Nage Tom! Rho gyfle i mi egluro! . . . Meddwl cymaint o ddrwg dw i wedi ei wneud i ti, a thithe ond yn trio gwneud dy orau. Dwi'n dal yn methu credu bod dau berson sy' wedi byw mor agos i'w gilydd ar hyd y blynyddoedd yn gallu bod mor ar wahân! A'r cyfan wedi deillio o benderfyniad mor dwp – o bwdu!'

15

Ymarfer

Ymhen dim roedd hi'n wyliau ysgol. Cyfnod o ymlacio a theithio i rai – ond i bêl-droedwyr a dyfarnwyr mae'n gyfnod o ymarfer cyn dechrau'r tymor newydd. Cyfnod hefyd i hel meddyliau a rhoi'r byd yn ei le.

Roedd Tom wrth ei fodd yn rhedeg neu'n beicio a doedd ganddo ddim problem o fynd i ymarfer yng nghanol y gaeaf, felly roedd ymarferion yr haf yn bleser pur. Yn yr haf roedd y dewis gorau o lefydd ac amseroedd i fynd hefyd – weithiau ar hyd yr afon ben bore, neu ar hyd hen ffordd y rheilffordd. Neu os oedd e'n teimlo'n hynod o ffit – dros y mynyddoedd i Eglwysilan neu Lanwynno yng nghanol gwres y dydd. Ond ei hoff amser i redeg oedd tua awr ar ôl amser te pan oedd hi'n dal yn ddigon cynnes – heibio merched pert y dre oedd yn trio dal pelydrau ola'r dydd yn y parc, cyn i'r haul fachlud o'i flaen ar y ffordd adre.

Ganol mis Awst sylwodd ar ddwy ferch yr oedd e'n eu hadnabod yn torheulo. Naomi a Ruth. Stopiodd.

'Haia,' meddai Tom yn swil.

'O, helô . . .'

'Tom.'

'O ie, Tom.' Naomi oedd yr un anghofus.

'Paid â sefyll o flaen yr haul, Tom,' meddai Ruth.

'Sori, sori!' Roedd Tom yn teimlo'n ddigon nerfus fel yr oedd e o flaen dwy fenyw mewn bicinis heb sôn am sefyll rhyngddyn nhw a'u pelydrau.

'Ti'n edrych yn ddigon ffit, ta beth,' meddai Naomi.

'Naomi – gad hi wir! Ma fe'n ddigon ifanc i allu dy alw di'n "Mam"!' oedd ymateb sarcastig Ruth. Aeth y ddwy i mewn i un o'r pylau chwerthin yna sydd ond yn bosib i ddwy ferch eu cael. Gwenodd Tom yn swil.

'Beth ych chi'ch dwy'n ei wneud 'te?' gofynnodd eto.

'Mae Ruth a fi yn y coleg meddygol yng Nghaerdydd.'

'O! Mae 'mrawd yn yr ysbyty yn fan'na ar hyn o bryd,' ychwanegodd Tom.

'O! Ydy e? Ar ba ward 'te?' holodd Ruth.

'Ward wyth.'

'Dim Ioan?' meddai Ruth gan eistedd i fyny'n gyflym.

'Ie, Ioan yw 'mrawd i.'

'Weeeeel, pwy feddyliai? Mae Ioan yn grêt! Fydd e gatre cyn bo hir, Tom.'

'O na! Dyw e ddim yn byw gatre nawr.'

'Wel mi fydd eisie bach o ofal arno fe, weden i, felly ble bynnag mae fe'n mynd, fydd e ma's cyn bo hir.'

'Faint sy 'da chi ar ôl yn y coleg 'te?'

'Blwyddyn! Wedyn bant â ni,' meddai Naomi'n llawn direidi.

'Bant i ble?'

'Pwy a ŵyr?'

52

'Dw i eisie gweld bach o'r byd fel doctor newydd,' meddai Ruth.

'Ydych chi 'di meddwl am fynd ar gwch o gwbl?'

'Cwch? Callia!' meddai Naomi.

'Wel, mae 'na gychod mawr sy'n teithio rownd y byd yn llawn doctoriaid a moddion sy'n cynnig help i bobl mewn gwledydd tlawd y byd wy'n credu,' atebodd Tom.

'Mae hynny'n swnio'n cŵl! Diolch i ti. Bydd rhaid i ni edrych i mewn i'r peth,' oedd ymateb Ruth.

'Dw i'm yn lico hwylio!' oedd ymateb Naomi.

Doedd dim amdani felly. Roedd yn rhaid i Tom holi. Roedd yn rhaid iddo gael rhyw gadarnhad ynglŷn â'r hyn oedd wedi digwydd yn y parc dro yn ôl. Cymerodd anadl ddofn cyn dechrau.

'Ch-chi'n gwbod ar ddiwrnod y carnifal . . ?' Ymbalfalodd Tom am eiriau.

'Ieeeeee,' meddai Ruth yn chwilfrydig.

'Beth welsoch chi yn y twnnel?'

'Dim . . . Welais i ddim byd.'

'Na fi,' meddai Naomi'n syth ar ôl ei ffrind.

'Ac os ffindia i'r boi rygbi 'na 'to – gobeithio na fydd cyllell yn fy llaw i ar y pryd, 'na i gyd weda i!' meddai Ruth gan chwerthin eto. 'Pam wyt ti'n gofyn?'

'O, dim rheswm. Hei, well imi fynd! Hwyl!'

'Ta-ra, Tomboy!' roedd Ruth wedi'i thiclo'n lân gan ei ffraethineb ei hun.

Cododd Naomi ar ei thraed.

'Ddo i gyda ti draw i'r tai bach, Tom.'

'Watsia di, Tomboy – mae hon yn gallu cnoi cofia!'

Cerddodd Tom a Naomi yn sŵn chwerthiniad heintus Ruth am ychydig cyn i Naomi ddweud: 'Welais i ti.'

'Ble?'

'Yn y twnnel od 'na yng nghanol y goeden.'

'Beth o'n i'n wneud?'

'Roeddet ti ar gae pêl-droed gyda llwyth o bobl yn gwylio.'

'Be? Fel reffarî?'

'Nage.'

Roedd Tom yn llawn chwilfrydedd erbyn hynny,

'O'n i'n chwarae?'

'Nago't! O't ti'n dweud wrth bobl ble i fynd a beth i wneud – ond paid â gofyn mwy na hynny achos wy'n deall dim am bêl-droed!'

'Waw! Diolch Naomi!' meddai Tom a'i lygaid yn pefrio.

'O'dd y diwrnod yna'n od iawn, on'd oedd? Dw i'm yn gwbod pam, ond o'dd yn rhaid i mi fynd at y goeden. Roedd e fel bod magned enfawr yn 'y nhynnu i draw,' eglurodd Naomi ymhellach. 'Welaist di rywbeth, Tom?'

'Do! Welais i sawl peth, yn cynnwys ti a Ruth . . . yn ddoctoriaid ar gwch anferth . . . a do'n i ddim yn gwbod pa fath o gwch oedd hi ar y pryd. Ond yna gwelais i adroddiad yn sôn am y *Mercy Ship* yn yr Affrig ar y newyddion. A dyna pryd y 'nabyddais i'r cwch!'

'Waaaaaaaaw!' meddai Naomi'n syn. 'Ti'n meddwl taw gweld i'r dyfodol wnaethon ni 'te?'

'Pwy a ŵyr?' atebodd Tom yn llawn doethineb. 'Dw i'm yn lico pethau fel'na fel arfer. Ond ddysgais i eitha tipyn am fy ngorffennol yn y twnnel – llawer ohono'n wir bob gair! Felly . . . falle y daw e'n wir! Dyna beth oedd Bleddyn yn trio'i awgrymu cyn inni fynd, ontefe?'

Arhosodd Naomi am eiliad cyn ymateb. Roedd ei geiriau'n araf a phwyllog.

'Ddysgais i rywbeth am fy ngorffennol i hefyd – rhywbeth oedd yn esbonio eitha tipyn a dweud y gwir.' Meddyliodd am ychydig eto cyn ychwanegu: 'Falle bo rhaid i ti edrych yn ôl cyn i ti symud ymlaen weithie.'

16

Tymor Newydd

Wrth ymarfer bron yn ddyddiol, cafodd Tom oriau i feddwl am y berthynas newydd oedd yn dechrau ffurfio gyda'i dad. Ers y diwrnod tyngedfennol cyntaf hwnnw yn y gegin roedd newid sicr wedi bod yn y sefyllfa. Ac roedd pawb yn y tŷ yn ymwybodol o'r peth. Roedd Dad yn ei feio'i hun o hyd am y blynyddoedd gwastraff, ond roedd Mam yn fwy parod â'i chysur. Fel y dywedai o hyd ac o hyd: 'Gwell hwyr na hwyrach!'

Ac fel y dywedodd Ruth yn y parc, roedd cyflwr Ioan yn gwella hefyd. Rhywbeth ag enw hir dychrynllyd yn gorffen gyda '-troffi' oedd y salwch oedd arno, ond roedd y driniaeth yn yr ysbyty wedi bod yn ardderchog (heb sôn am yr holl sylw gan y myfyrwyr meddygol!). Roedden nhw fel teulu'n mynd i'w weld yn rheolaidd ac yn paratoi ar gyfer ei ddyfodiad adre.

Ond roedd Ioan yn ei chael hi'n anodd credu'r hyn oedd wedi digwydd rhwng Tom a'u tad. Un tro, pan oedd eu rhieni wedi mynd i'r cantîn am baned, cafodd y brodyr gyfle i siarad:

'Rhaid dweud Tom, doeddwn i ddim wedi sylwi!

'Naddo, sbo!'

'Be ti'n feddwl?' Bu bron i Ioan neidio allan o'r gwely wrth glywed ymateb beirniadol ei frawd bach.

'Dyw'r cyntaf-anedig byth yn sylwi ar ddim ond arno fe ei hun!' meddai Tom gan wenu. 'Mae'n rhaid i ni sy'n dilyn ffitio i mewn gyda'ch bywydau chi.'

Wfftiodd Ioan.

'Mae'n siŵr dy fod ti'n iawn . . . Trueni 'fyd! Achos ma' Dad yn gw'boi ti'n gw'bod! Ti'n gallu cael laff 'da fe.'

'Wy'n gwbod 'ny . . . nawr.'

'Ond 'na fe – o leia roedd tad gyda ti!' ychwanegodd Ioan yn ddoeth

'Be ti'n feddwl?' holodd Tom.

'Wel, oedd ffrind 'da fi yn ysgol, Glyn Reed. Roedd 'i dad e wedi gadael pan oedd e'n bump oed!'

'Mae lot o blant yn fy nosbarth i o deuluoedd un rhiant.'

'Wy'n siŵr bo' 'na . . . ond roedd Glyn yn wahanol, rywsut.'

'Pam hynny? Unig blentyn oedd e 'te?'

'Nage! Roedd brawd bach 'da fe. Cofia di, do'dd e ddim yn edrych fel Glyn o gwbl. Mickey Mouse.'

'Be'? Oedd e'n edrych fel Mickey Mouse?!'

'Nag oedd! Ond 'na beth oedd Glyn yn galw ei frawd bach – Mickey Mouse, mae'n rhaid taw Mick neu Michael neu rywbeth oedd 'i enw go iawn e.'

Michael Reed!

Fel fflach, neidiodd yr enw i feddwl Tom. Dyma ddarn arall o'r jig-sô wedi syrthio i'w le, meddyliodd. Cysylltiad a gwybodaeth am Michael Reed. Ond beth oedd arwyddocâd y crwt yma iddo fe? Gwir, roedd eu llwybrau wedi croesi sawl gwaith o fewn y flwyddyn ddiwethaf. Ond fe gollodd Michael ei gyfle i fynd i mewn i'r *Cawr*. Ac onid oedd Bleddyn wedi dweud wrth bawb taw dyna'r unig dro y byddai'r drws dirgel ar agor iddyn nhw? O! Roedd Tom mewn penbleth. Ai ei gyfrifoldeb e oedd dweud wrth Michael Reed am fod yn chwaraewr proffesiynol?!

Ceisiodd gofio beth yr oedd wedi ei weld ar y fideo o dan y ddaear. Daeth rhes o luniau'n stribed 'nôl i'w gof. Gyrfa ddisglair Michael Reed . . . chwarae i Lerpwl . . . Real . . . Bayern . . . a Chymru. Ond doedd dim byd amdano fe ei hun. Ai Tom yn unig oedd yn gwybod am wir botensial y boi, a hynny o weld fideo ryfedd o dan y ddaear? Ai Tom oedd i fod i drosglwyddo'r neges amheus yma i Michael? Roedd Tom yn teimlo'r pwysau a'r cyfrifoldeb dirfawr ar ei ysgwyddau. Wedi'r cwbwl, pwy fuasai'n ei gredu? Buasai dipyn yn haws i adael pethau fel yr oedden nhw, heb ddweud yr un gair, meddyliodd. Yna, cofiodd am ei dad. Onid dyna beth wnaeth ei dad iddo fe – bob amser yn bwriadu meithrin perthynas ond yna, gyda threigl amser, yn gwneud dim. Na, roedd yn rhaid manteisio ar y cyfle! Roedd yn rhaid iddo ffeindio Michael Reed!

17

Wyt ti'n Credu?

Doedd dim clem gan Tom ble oedd Michael Reed yn
byw. Doedd dim amdani felly ond cysylltu â Nigel
Bennett, rheolwr y tîm pêl-droed dan 16, gan fod
rhifau cyswllt pob tîm a phob rheolwr yn llyfryn y
gynghrair leol ganddo fe. Ond, wrth siarad â'r
rheolwr, cafodd siom o glywed nad oedd, wedi'r
cwbwl, yn fodlon datgelu rhif ffôn Michael iddo. Ond
er mor synhwyrol oedd ei ddadl, teimlai Tom yn
rhwystredig am nad oedd yr hyfforddwr yn deall
pwrpas na phwysigrwydd y cais. Plediodd Tom ag e,
ond 'Na!' pendant oedd yr ateb bob tro. Doedd dim
amdani felly, meddyliodd Tom, ond newid ei dacteg.
Gofynnodd i'r rheolwr roi ei rif ffôn e i Michael a
gofyn iddo fe gysylltu â Tom. Ac felly y bu.

'Hir yw pob ymaros' oedd un o'r dywediadau
Cymraeg ddysgodd Tom yn yr ysgol. 'Digon gwir,'
meddyliodd Tom, gan y bu'n rhaid iddo aros am
dridiau cyn i'r ffôn ganu.

'Tom?'

'Ie.'

'Michael sy' 'ma.'

'O haia Byt,' ceisiodd Tom guddio'i gyffro amlwg.

'Dwedodd Nigel wrtha i bo ti eisie i fi ffonio.'

'O'n! Felly diolch i ti am gysylltu. Mae rhywbeth
gen i i' ofyn i ti.'

'O?' oedd ymateb digyffro llwyr Michael Reed.

'Ie . . . ym . . . shwd fyset ti'n lico . . . ym . . . beth wyt ti'n meddwl am . . .' Doedd Tom ddim yn hollol siŵr sut i egluro'r sefyllfa wrth rywun oedd e ond yn hanner ei adnabod. Yna cafodd fflach o ysbrydoliaeth o rywle. 'Dw i eisie dysgu sut i chwarae pêl-droed.'

'Y?!'

'Wel ti'n gwbod bo' fi'n reff on'dwyt ti? Ond licen i ddechrau chwarae pêl-droed hefyd, a ti yw un o'r chwaraewyr gorau welais i'r llynedd. Felly o'n i'n meddwl y byset ti'n gallu 'nysgu i.'

'O?' Chwarae teg i Michael – doedd e ddim yn gwybod beth i' ddweud tro 'ma. Roedd cais Tom wedi ei lorio'n llwyr.

'Pryd wyt ti'n ymarfer nesa?'

'Heno.'

'Pryd a ble?'

'Chwech o'r gloch yn Nhan-y-lan.'

'O'r gorau,' meddai Tom, 'wela i di 'na!'

'Ond dim fi sy'n dysgu'r tîm – jyst chwarae ydw i! Nigel sy'n cymryd y sesiwn.'

'Ie, ie wy'n deall 'ny – ond falle, os wyt ti'n fodlon, y gwnei di aros 'mlaen am hanner awr i roi cwpwl o dips i fi.'

'O . . . reit.'

Yn hwyrach y noson honno, cafodd Tom lifft i Dan-y-lan gan ei dad ac am y tro cyntaf ers tro, fe sgwrsion nhw'r holl ffordd yna! Roedd y berthynas rhwng y ddau'n gwella bob dydd ac eto nid oedd Tom wedi mentro datgelu'r rheswm am y diddordeb sydyn mewn chwarae pêl-droed wrth ei dad. Roedden nhw wedi cyrraedd yn gynnar er mwyn i Tom gael gair gyda Nigel, yr hyfforddwr. Roedd e'n 'nabod Nigel yn barod ar ôl dyfarnu cwpwl o gêmau'r tîm yn ystod y tymor blaenorol.

'Haia Nigel.'

'Haia . . .'

'Tom.'

'O ie, Tom.'

'Fi ffoniodd y diwrnod o'r blaen i gael rhif Michael Reed.'

'O ie,' edrychodd Nigel yn amheus ar Tom, fel pe bai e'n holi pam yn union roedd Tom eisiau cysylltu â'i brif streicar e.

'Eisie holi pryd oeddech chi'n ymarfer o'n i achos licen i ymuno â'r tîm.'

'Ond nag wyt ti'n fwy nag un deg chwech oed?'

'Ydw, ond mae'r tîm o'n i'n gobeithio ymuno ag e'n ymarfer ar nos Iau, a dw i'n brysur bob nos Iau, felly mae nos Fercher yn well i mi.'

'Wel, rwyt ti'n lwcus, achos dw i newydd glywed fod y tîmau dan un deg chwech ac un deg saith yn uno i ffurfio un gynghrair eleni gan fod rhai o'r tîmau 'di tynnu mas. Ma hyn yn golygu bod dim digon i ffurfio dwy gynghrair. Felly, mewn geiriau eraill, croeso. Bydd angen i ti lenwi ffurflenni cofrestru, cofia. A chei di ddim dyfarnu yn y gynghrair yna chwaith.'

'Wy'n gwbod.'

Ond doedd Tom ddim yn gwybod hynny, a doedd e ddim yn disgwyl clywed y newyddion yna chwaith –

un gynghrair a dim dyfarnu. Doedd e ddim eisiau chwarae go iawn, dim mwy nag oedd e eisiau gorffen dyfarnu. Ond os mai dyma'r ffordd yr oedd e'n mynd i lwyddo i ddylanwadu ar Michael Reed, yna roedd yn aberth werth chweil.

Aeth y sesiwn yn dda. Profodd ffitrwydd naturiol Tom yn hanfodol yn erbyn y *terriers*, fel yr oedd Nigel yn galw aelodau'r tîm! Ond roedd ganddo dipyn o waith i wneud ar ei sgiliau a'r cyffyrddiad cyntaf hollbwysig. Ceisiodd gadw llygad ar Michael hefyd – gan sylwi ar ei gyffyrddiad cyntaf sicr, di-ymdrech bron, bob tro.

Wedi'r sesiwn arhosodd Michael a Tom am hanner awr ychwanegol yn gweithio ar sgiliau Tom. Roedd Tom yn bwriadu sylwi ar sgiliau Michael ond doedd e ddim yn hollol siŵr am beth yr oedd e'n chwilio. Byddai'n rhaid iddo wneud ychydig bach o waith ymchwil erbyn y tro nesa, meddyliodd.

'Diolch iti, Michael, am aros,' meddai Tom ar ddiwedd y sesiwn.

'Iawn,' atebodd yntau.

'Wyt ti eisie lifft adre? Eith Dad â ti adre, os wyt ti mo'yn.'

'Na, mae'n iawn.'

'Wyt ti'n credu . . .' meddyliodd Tom am y *Cawr* a Bleddyn a'r fideo. Ond doedd e ddim eisie codi ofn ar Michael. Ceisiodd orffen ei frawddeg, 'Wna i bêl-droediwr yn y diwedd?'

'*No way!*' meddai Michael gan wneud i'r ddau

chwerthin yn uchel. 'Ond falle gyda bach o help fyddi di'n ddigon da i ymuno â'n tîm ni!'

'Wnei di aros yr wythnos nesa hefyd 'te?'

'Ocê!'

18

Dysgu am Ddysgu

Erbyn yr wythnos ganlynol roedd Tom wedi treulio oriau lawer – nid yn ymarfer ei sgiliau pêl-droed, ond ar y we yn chwilio am ymarferion i'w trio gyda Michael yr wythnos ganlynol. Roedd cymaint o wefannau yn cynnig cymorth i hyfforddwyr – rhai'n well na'i gilydd. Ond, erbyn dydd Mercher, roedd ganddo syniad pendant ynglŷn â beth i'w wneud ar ôl y brif sesiwn.

Ond am siom! Wedi'r holl gynllunio, doedd Michael ddim yn yr ymarfer! Erbyn i Tom sylweddoli hynny, roedd hi'n rhy hwyr. Doedd dim amdani ond cymryd rhan yn y sesiwn hyfforddi ar ei ben ei hun. Ni fwynhaodd y sesiwn o gwbl, serch hynny. Roedd ei feddwl, yn amlwg, yn crwydro i lefydd ymhell o Dan-y-lan, gan wneud i Nigel weiddi arno sawl gwaith am wneud camgymeriadau twp ac am beidio ymateb yn syth i'w orchmynion. Ble oedd Michael tybed?

Ond ar ôl yr ymarfer, wrth i bawb gasglu eu pethau, dyma Tom yn clywed un o'r bois yn siarad am Michael. Mae'n debyg ei fod yn gorfod gofalu am ei fam weithiau a heno oedd un o'r achlysuron hynny. Rhywbeth i' wneud â *migraine*.

Aeth wythnos arall heibio felly. Mwy o syrffio'r we i Tom cyn mentro i ymarfer arall. A thrwy lwc, roedd Michael yna tro 'ma.

'Dy fam yn well?' holodd Tom.

'Ydy.'

'Ti'n gallu aros heno?'

'Iawn.' Doedd Michael yn dal ddim yn siaradus iawn.

Yn ôl ei addewid, yn syth ar ôl ymarfer y tîm, dyma Michael yn dechrau dysgu Tom fel y gwnaeth bythefnos ynghynt. Ond ar yr un pryd, dyma Tom yn dechrau cynnig ambell syniad pêl-droedio newydd i Michael. Ac felly y bu am rai wythnosau. Roedd Tom yn mwynhau'r sialens o actio fel dysgwr tra oedd yn ceisio hyfforddi'n gyfrinachol ac roedd Michael yn mwynhau dysgu sgiliau newydd Tom.

'Ble ti 'di gweld hwnna 'te?' holodd Michael.

'*Match of the Day*,' oedd ateb Tom bob tro.

Sylwodd Nigel ar y newid yn y ddau chwaraewr hefyd.

'Sa i'n siŵr beth ych chi'ch dau'n wneud ar ôl i ni orffen ymarfer bob wythnos, ond mae'n gwneud lles i chi ta beth yw e! Well i chi ddatgelu'r gyfrinach wrthon ni gyd! Allwn ni i gyd elwa wedyn!'

'Michael sy'n 'yn helpu i,' meddai Tom.

'Na, Tom sy'n 'yn helpu i!' ychwanegodd Michael.

'Wel pwy bynnag sy'n helpu pwy mae'n gweithio! 'Na i gyd sydd eisie nawr yw cael y naw ploncar arall yna i wneud yr un peth â chi ac fe fyddwn ni'n iawn!'

Ond er gwaethaf gofidiau Nigel, fe ddechreuodd y tymor yn llwyddiannus gyda thîm dan un deg chwech ac un deg saith Pontypridd yn curo pawb yn y fro. Llwyddodd Tom hyd yn oed i redeg lan a lawr yr asgell dde cyn croesi'r bêl i mewn i'r cwrt cosbi er mwyn i Michael gael sgorio, a hynny dro ar ôl tro. Roedd y lleill yn gwella hefyd, yn ôl Nigel. Cafodd Tom ambell sgwrs gyda'r hyfforddwr er mwyn cynnig syniadau ar yr hyfforddiant a thactegau'r tîm iddo. Wedi'r cwbwl, roedd ugain mlynedd a mwy wedi pasio ers i Nigel chwarae'r gêm yn iawn, meddyliodd Tom, ac, fel popeth mewn bywyd, mae pethau'n newid o hyd a syniadau newydd i'w trio o hyd.

Yna, ym mis Tachwedd mewn gêm gystadleuol iawn yn erbyn Trefforest, cafodd Tom glatsien go iawn gan un o amddiffynwyr y gwrthwynebwyr wrth iddo wibio ar hyd yr asgell dde. Cyn gynted ag y glaniodd yr ergyd, roedd pawb yn gwybod bod rhywbeth mawr yn bod.

Doedd dim amheuaeth. Cafodd yr amddiffynnwr gerdyn coch am chwarae brwnt difrifol a bu bron i'r ddau dîm ddechrau ymladd â'i gilydd oherwydd ffyrnigrwydd y sialens. Roedd chwiban y dyfarnwr yn cael ei chwythu'n ddi-stop wrth iddo geisio rheoli'r sefyllfa ond ar ôl llwyddo i ddistewi pawb aeth i gael cipolwg ar goes Tom, oedd yn dal i orwedd yn boenus ar lawr. Roedd siâp 'W' annaturiol o glir i'w weld yn esgyrn ei goes chwith. Galwodd y dyfarnwr ar i rywun i ffonio am ambiwlans.

O fewn munudau roedd Tom ar ei ffordd i'r ysbyty. Yn crynu gan sioc, gwibiodd y ddwyawr nesaf heibio fel petai mewn breuddwyd. Yr atgof cyntaf oedd ganddo wedi'r ergyd oedd wyneb ei dad wrth ochr ei wely. Rywsut, dechreuodd anghofio am ei boen, am strach y pelydr X a'r stafell blaster, wrth i bopeth ymddangos yn well ar ôl gweld pwy oedd yno. O leiaf roedd rhyw dda wedi dod o'r drwg, meddyliodd wrtho'i hun cyn syrthio 'nôl i gysgu dan rym y lladdwyr poen.

Dros y misoedd nesaf cafodd Tom gyfle i ddatblygu ei ddoniau hyfforddi wrth sefyll ar ochr y cae ar ei ffyn baglau yn gwylio ac yn cynnig syniadau. Ond rywsut, roedd agwedd Michael wedi newid. Tybiai Tom fod rhywbeth ar goll. Roedd y tîm y dal yn llwyddiannus iawn. Roedd y ffaith hon o ddiddordeb i bobl y tu allan i'r gynghrair leol hefyd, gydag ychydig o ymholiadau yn cyrraedd oddi wrth un neu ddau o'r sgowtiaid lleol. Ond roedd Michael yn colli cwmni ei ffrind Tom. Doedd cicio pêl ar ben ei hun wedi sesiwn ymarfer ddim yr un peth – hyd yn oed pan fyddai'r ddau yn chwerthin ar ôl i Tom fethu taro'r bêl am y canfed tro gyda'i goes eliffantaidd!

'Dere Mike, be sy'n bod?' holodd Tom un noson.

'Sa i'n gwbod.'

''Drych! Nid fi yw'r pêl-droediwr! Ti sydd â'r sgìl.'

'Ond o'n i'n lico fe pan o'n ni'n dau'n helpu'n gilydd.'

'A wy'i dal yma i helpu.'

'Ie, ond mae'n *boring* jyst gyda fi.'

'Wel beth am i ni ofyn i un o'r bois eraill i ddod 'te? Steve neu Rhys? Fase nhw'n dda.'

'Falle.' Ond doedd Michael ddim yn swnio'n rhy frwdfrydig.

'Gwranda Michael!' mentrodd Tom yn bendant. 'Ti

yw seren y tîm yma – mae pawb yn gwbod hynny!
Ond dwi'n meddwl y gelli di fynd ymhellach!'

'Be ti'n feddwl?'

'Wy'n credu y gelli di fynd yn broffesiynol! Mae
eisie sgorwyr ar bob tîm! A dyna beth wyt ti – ti'n
sgorio ym mhob gêm 'achan.'

'Waw!'

'Mae bron popeth gen ti – cyflymder ar draws y
cae, cyflymder ar y bêl, meddwl cyflym hyd yn oed,
dewrder, sgiliau . . . dim ond un peth sydd ar goll.'

'Beth?' holodd Michael eto.

'Agwedd.'

'Y?!'

'Mae'n rhaid i ti newid dy agwedd. Mae'n rhaid i ti
golli'r agwedd teimlo'n sori dros dy hun o hyd.'

Ar hynny cerddodd Michael i ffwrdd gan adael Tom
yng nghanol y cae – fe, ei blaster a'i ffyn baglau.

19

Newid Agwedd

'Es i'n rhy bell?' 'Ddylwn i fod wedi dweud hynny . . . nawr?' 'Be sy'n bod arno fe?' Dyna'r cwestiynau oedd yn mynd trwy feddwl Tom wrth iddo stryffaglu i ochr y cae er mwyn disgwyl ei dad.

'Ble mae Mike?' oedd cwestiwn naturiol hwnnw pan gyrhaeddodd.

'Aeth e adre'n gynnar,' atebodd Tom.

'Pam? So chi 'di cw'mpo ma's do fe?!'

'Nagyn! M'ond dweud wrtho fe bod eisiau iddo fe newid ei agwedd wnes i.'

'A bant ag e?'

'Ie.'

'Dere,' meddai ei dad. 'Fe ewn ni lan i'r tŷ. Sa i'n gadael i sefyllfa arall rygnu 'mlaen am oesoedd. Ddylet *ti* o bawb gytuno â hynny!'

'Cytuno!' meddai Tom â gwên ar ei wyneb.

Roedd Tom wedi arfer gollwng Michael y tu allan i'r tŷ ar y stad tai cyngor ar ôl eu hymarferion, ond doedd e erioed wedi camu i mewn i'r tŷ ar ei ben ei hun. Teimlai'n nerfus iawn wrth ddringo'n araf i fyny'r grisiau allanol ond roedd anogaeth ei dad o'r car yn help.

Curodd ar y drws. Drwy lwc, Michael atebodd.

'O ti sy' 'na,' meddai hwnnw'n ddigyffro.

'Iep. Ga i ddod mewn?'

'Na, well i ti beidio.'

'Pam? Be sy'n bod? Sa i'n mynd i ddwyn unrhyw beth – sa i'n gallu rhedeg yn gyflym iawn gyda rhain cofia!' ychwanegodd Tom yn llawn direidi.

'Mae Mam yn . . . yn dost.'

'O, sori!'

'Pwy sy 'na Mike?' daeth llais benywaidd gwanllyd o'r tu ôl i Michael. Llais ansicr, aneglur, meddw.

'Neb wyt ti'n nabod Mam.'

'Oes potel arall yn rhywle?' holodd y llais.

'Nag oes Mam – cer 'nôl i gysgu.'

'Mike! Mae'n rhaid i ti symud o'r fan hyn,' meddai Tom.

'Ond sut alla i?' holodd Michael. 'Mae hi'n dost!'

'Ydy! Ond mae gen ti rywbeth sbesial sy'n rhy dda i gael ei guddio fan hyn. Mae'n rhaid i ti wneud rhywbeth cyn iti gael dy dynnu i lawr hefyd!' Aeth Tom yn ei flaen. 'Beth am dy frawd? Beth mae fe'n gwneud?'

'Mae fe 'di mynd ers sbel.'

'Wel, bydd yn rhaid i ti gael y Cyngor i ofalu amdani neu rywbeth achos mae gen ti ddyfodol disglair o dy flaen di.'

'O oes?!' wfftiodd Michael.

'Oes!'

'A sut wyt ti'n gwbod hynny?'

'Wy'i jyst YN 'na i gyd. Nawr, shigla dy stwmps a gwna rywbeth â dy fywyd. Gwna rywbeth gyda'r ddawn anhygoel 'na sy gen ti.' Roedd Tom yn ymwybodol ei fod yn dechrau pregethu nawr, felly penderfynodd ei bod hi'n well tewi. 'Wela i di'r wythnos nesa 'te!' mentrodd cyn troi am y car.

'Hei! Pwy yn union wyt ti'n meddwl wyt ti? Be' sy'n gwneud I TI feddwl bo gen ti hawl i siarad 'da fi fel'na? 'Sneb erioed wedi siarad â fi fel'na o'r blaen. Ti'n swnio mwy fel tad na ffrind, a dwi 'di llwyddo heb y cyntaf o'r rheina lan at nawr! Felly, falle fyswn i'n well heb yr ail un hefyd! Nawr cer o 'ma!'

A chaeodd y drws yn galed yn wyneb Tom.

Dechreuodd Tom boeni ei fod wedi dweud gormod ar adeg ansensitif a bod y cyfle wedi ei golli.

Ond, erbyn yr wythnos ganlynol, roedd Michael wedi bod yn meddwl yn hir am eiriau ei ffrind, a chyda chymorth Steve a Rhys, dechreuodd ddangos agwedd newydd o dan y goleuadau ar y cae ymarfer. Sylweddolodd Tom fod Michael ar ei orau pan oedd yn ymarfer gyda chwmni. Felly fe ofynnodd i'r ddau arall aros. Roedd Tom yn dysgu hefyd.

20

Llwyddiant

Ar ddiwedd y tymor, cafodd Michael gynnig i
chwarae mewn gêm arbennig – Gêm y Gynghrair – lle
roedd carfan o dri deg o chwaraewyr gorau'r
gynghrair yn ffurfio dau dîm ac eilyddion. I'r gêm
yma y byddai'r sgowtiaid yn hoffi dod, felly roedd
pawb ar bigau'r drain eisie cael eu dewis i gychwyn y
gêm. Ond er syndod i bawb, eilydd oedd Michael
Reed.

Ceisiodd Tom argyhoeddi ei ffrind y byddai popeth
yn iawn ond roedd Michael yn ddigalon iawn.

'Paid â bod mor negyddol,' siarsiodd Tom. 'Fe gei
di dy gyfle, wy'n siŵr o hynny.'

'Ie, rhyw bum munud ar y diwedd sbo,' oedd
ymateb Michael.

''Drych, fe elli di wneud mwy mewn pum munud
na beth mae'r rhan fwyaf o'r bois yma'n medru
gwneud mewn gêm gyfan! Newidia'r agwedd yna ar
unwaith!'

'Dw i wedi,' mentrodd Michael, 'ond arnyn *nhw*
mae eisiau newid agwedd y tro 'ma.'

'Wy'n gwybod hynny! Ond sdim byd y gelli di
wneud am hynny nawr. Cadw di dy sylw ar dy gêm di,
'na i gyd. Sdim ots amdanyn nhw,' ychwanegodd Tom
yn llawn doethineb.

Yn anffodus i Michael a Tom, roedd un o'r streicars yn cael gêm penigamp. Roedd wedi sgorio dwy ac wedi ennill cic o'r smotyn cyn hanner amser – a Michael yn dal ar y fainc. Yna daeth y chwiban hir i ddynodi diwedd yr hanner cynta.

'Da iawn bois! Da iawn Gezzy!' Roedd hi'n amlwg fod Nigel, yr hyfforddwr, wedi ei gynhyrfu'n lân. 'Reit, gwrandewch,' meddai eto, 'sa i'n mynd i newid dim *up front* ar hyn o bryd, bois. Wy'n mynd i roi cyfle i Gezzy gael ei *hat-trick*. Mae sgowt Cardiff City yn gwneud lot o nodiadau amdanat ti, Byt! Felly caria 'mlaen i wneud be' ti'n 'neud. Da iawn ti! Ond wy'i am newid pethau dipyn bach yn y cefn . . .

Gydag wyth munud o'r gêm yn weddill, cafodd Gezzy ei *hat-trick!* Yna daeth y newid. Wedi i'r hyfforddwr godi ei fys bawd arno, o'r diwedd, dyma Michael Reed yn cael ei gyfle i ddangos ei ddoniau. Ond am y pum munud nesa chafodd e ddim cyffyrddiad â'r bêl, er iddo ymdrechu'n daer. Doedd y ffaith fod ei dîm e ar y blaen o dair gôl i un ddim yn help, gan nad oedd awydd y chwaraewyr eraill am sgorio eto mor gryf ag ar ddechrau'r gêm. Roedden nhw'n hapus i chwarae'r bêl yn ôl i'r amddiffynwyr a phe bai'r tîm arall yn digwydd cael y bêl, roedden nhw'n ei tharo hi ymlaen tuag at eu llinell flaen nhw'n syth.

Yna, wrth i'r dyfarnwr edrych ar yr oriawr ar ei law chwith er mwyn gweld faint o amser ychwanegol oedd i'w chwarae daeth cyfle Michael. Pêl amddiffynnol, obeithiol o'r cefn oedd hi. Eisiau clirio'r blwch cosbi oedden nhw mewn gwirionedd, yn hytrach na'i phasio hi'n fwriadol at y streicar newydd. Ond roedd Michael ar y llinell hanner yn disgwyl ei gyfle, a phan ddaeth y bêl i lawr o'r uchelfannau fe reolodd e hi'n berffaith cyn cychwyn ar rediad tuag at yr asgell chwith gyda'r un cyffyrddiad. Aeth heibio un, dau, tri amddiffynnwr cyn torri i mewn tuag at y cwrt cosbi. Yna, fel rhyw Thierry Henry, o gornel y llinell 18 llath, fe drawodd e'r bêl yn berffaith – ei droed dde'n crymanu o gwmpas gwaelod y bêl gan sicrhau ei bod hi'n gwyro tua chornel bella'r gôl . . . cyn i'r golwr ei gwthio hi heibio'r postyn am gornel. Cliriwyd y gornel a dyna'r unig gyfle gafodd Michael yn ystod yr wyth munud arferol a'r pedair munud arall a ychwanegodd y dyfarnwr am anafiadau ac eilyddio ac yn y blaen.

Enillwyd y gêm, wrth gwrs, ond lladdwyd ysbryd Michael.

'O't ti mor agos!' oedd geiriau cyntaf Tom wedi iddo lwyddo i'w heglu hi i'r cae ar ei ffyn.

'Dim yn ddigon agos!' oedd ymateb hunan-feirniadol Michael.

'Ond wnest di bopeth yn berffaith.'

'Heblaw sylwi ble oedd y golwr!'

'Wnaeth e'n wych mae'n rhaid dweud – ond dyna'r unig gyfle gest ti.'

'Wyth munud . . . wyth munud! Beth oedd e'n disgwyl?' poerodd Michael yn ddig wrth edrych yn feirniadol ar Nigel.

Yn syth ar ôl y gêm, cynhaliwyd seremoni wobrwyo. Dechreuodd y cyfan yn weddol sydyn gan mai dim ond gosod dau fwrdd, y medalau a'r cwpanau bach i'r tîm dyfarnu oedd angen. Y dyfarnwr a'i gynorthwywyr oedd y cynta i gael eu gwobrwyo, yna'r tîm a gollodd, cyn tro tîm Michael – y buddugwyr. Ond buddugoliaeth wag oedd hi yng ngolwg Michael. Ceisiodd Tom godi calon ei gyfaill wrth sôn am beth allen nhw ei wneud yn yr ymarfer nesa, ond fedrai Michael ddim tynnu ei lygaid oddi arond sgowt y Bluebirds yn holi ac yn trafod gyda Gezzy.

Ac wrth i bawb arall symud tuag at y stafelloedd newid gyda'u medalau yn eu dwylo arhosodd Michael ar y cae, gyda Tom wrth ei ochr, yn meddwl beth allai fod wedi bod.

'Michael Reed?' meddai llais anghyfarwydd.

Nid atebodd Michael. Roedd ei feddwl ymhell i ffwrdd, felly Tom atebodd ar ei ran.

'Ie.'

'Pa un?' gofynnodd y dieithryn.

'O! Nid fi! Tom ydw i. Fe yw Michael Reed,' meddai Tom gan bwyntio at ei ffrind digalon.

'Rob Benson.' Cynigiodd ei law tuag ato. 'Anlwcus heddiw.'

'Wyth munud,' meddai Michael o'r diwedd.

'A phedair munud o amser ychwanegol.'

'Ges i ddim mo'r bêl!'

'Gest di 'ddi unwaith,' cysurodd y dieithryn.

'Do – cyn methu.'

'Falle dylet ti fod wedi cael hwn yn croesi peli tuag atat ti,' meddai gan bwyntio'i fys bawd at Tom.

'Be?' oedd ymateb Tom.

'Dw i 'di bod yn gwylio chi'ch dau ers yr hydref. Ers pan glywais i am dîm Pontypridd yn sgorio dro ar ôl tro yn y papur lleol. Welais i'r gêm pan dorraist di dy goes hefyd, Tom. Anlwcus, ffiaidd o dacl. A dw i'n meddwl gollest di dipyn o hyder wedyn Michael, on'do?'

Edrychodd Tom a Michael ar ei gilydd yn syn.

'Ond dw i di 'ch gweld chi'n ymarfer a tithau'n chwarae ers 'ny,' aeth Rob Benson yn ei flaen, 'felly dim ond dod i wylio gêm o bêl-droed wnes i heddiw rhag ofn y byddet ti'n chwarae. Dw i'n nabod y ddau yna ac yn gwybod shwd ma' gwleidyddiaeth bach y cymoedd yn gweithio – felly do'n i'm yn disgwyl gweld ti ar y cae yn hir iawn. A nawr 'te, mae gen i rywbeth i' gynnig i chi.'

'Ni?' holodd Tom yn anghredadwy.

'Ie. Sut fysech chi'n hoffi dod i'r academi i wneud bach mwy o ymarfer?'

'Fel hyn?' gofynnodd Tom.

'Ie – sdim llawer o amser gen ti ar ôl yn y plaster yna, oes e? A beth bynnag, sdim eisie rhedeg gormod arnat ti i fod yn hyfforddwr.'

'I ble mae'n rhaid inni fynd? Caerdydd?' holodd Michael.

'Nage. Mae'n bellach na hynny'n anffodus. O ie, anghofiais i ddweud pwy o'n i go iawn on'do? Rob

Benson – sgowt de Cymru ar gyfer yr ochr goch o Lerpwl – a dw i'n meddwl bod gyda chi'ch dau ddyfodol yn y gêm brydferth.'

Wrth ffarwelio â'r sgowt ar ochr y cae, doedd Tom a Michael ddim yn medru credu'r hyn oedd newydd ddigwydd. Serch hynny, addawodd y bechgyn ddod i benderfyniad erbyn dechrau'r wythnos – wedi trafod y cyfan gyda'u rhieni. Gallai Tom ddychmygu'r olwg ar wyneb ei dad yn syth!

Edrychodd y ddau ffrind i lygaid ei gilydd unwaith eto wrth feddwl am eiriau ola Rob Benson cyn i wên lydan ledu o un wyneb i'r llall.

'Wedais i, ond do?' meddai Tom.

'Wedaist ti lot o bethe!'

'Na – am hwn!'

'Tom – wna i gredu beth bynnag 'wedi di wrtha i o hyn ma's!'

'Wnei di?' holodd Tom yn ddireidus. 'Wel, o'n i yn y goeden 'ma yn y parc . . .' dechreuodd.

'Callia!'

Mwy o lyfrau

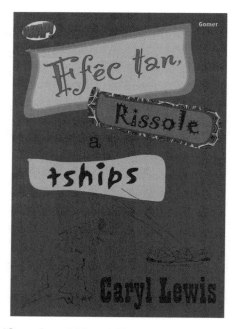

'O-mai-god Mam! Ti mor embarasin!'

Ond nid ei mam yw'r unig broblem sy'n wynebu Mari a'i
ffrind Gloria. Mae Mari'n ei chael hi'n anodd i faddau i'w
rhieni am ei henwi ar ôl taten, y *Maris Piper*, a hyd yn oed
wedi gyrraedd ei harddegau, mae ei theulu'n dal i wneud
bywyd yn anodd iddi. Dyna Cara ei chwaer, sy'n therapydd
harddwch, ei thad a'i obsesiwn â ffrio, heb sôn am Rissole,
y ci bach dialgar, sy'n byw gyda nhw uwchben siop tships y
Salt and Battery.

Ond mae pethau'n mynd o ddrwg i waeth wrth i Mari
ddechrau sylw ar . . . fechgyn!

ISBN 1 84323 686 9   £4.99

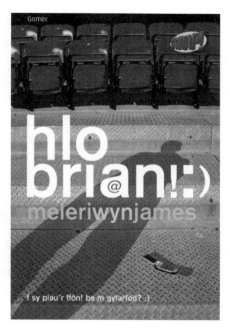

Mae Brian Hibbs yn un o gefnogwyr mwyaf selog clwb pêl-droed United. Ar ôl gwylio gêm, mae Brian yn dod o hyd i ffôn symudol ffantastic. Roedd e'n gwybod y dylai fod wedi ei rhoi i rywun yn syth, ond am ryw reswm dyma fe'n ei rhoi yn ei boced . . .

Bryan Hibbs yw prif sgoriwr United ac arwr Bri a'i fêts. Byddai'r bois wrth eu boddau'n cael cyfarfod ag e a sêr eraill y tîm.

Ac un diwrnod, maen nhw'n cael y cyfle i wneud hynny.

ISBN 1 84323 551 X   £4.99

'BANT!'

Dyw Dafydd ddim yn gallu credu'r peth! Cael ei ddanfon o'r cae rygbi yr wythnos cyn chwarae dros y sir! Dyw hyn ddim yn deg! Rhaid dial! Yna, tra oedd yn gosod posteri gyda Ffion a'r hyfryd Angharad, mae Dafydd yn gorfod rhedeg am ei fywyd fel Forrest Gump, wrth i hwdlyms Casnewydd ei erlid ar gefn eu beiciau modur. Tybed ai'r cyffur newydd y mae ei dad yn ei dreialu sy'n gwneud iddo deimlo mor gryf ac egnïol?

Ond pwy sy'n cadw llygad barcud ar y tŷ? Ac a fydd Dafydd yn llwyddo i achub Siân a Luke cyn i'r dihirod sydd wedi eu herwgipio eu lladd?

Dyma nofel gyffrous am fachgen o Gasnewydd sy'n cael ei dynnu i fyd peryglus cyffuriau, gangiau a ffansïo merched!

ISBN 978 1 84323 780 8   £4.99